D0313636

LES PLAISIRS DE LA VIE

DOMINIQUE NOGUEZ

LES PLAISIRS DE LA VIE

Manuels Payot

106, boulevard Saint-Germain – 75006 Paris

ISBN : 2-228-89275-0
ISSN : 1281-5888

Le temps diminue chez nous l'intensité des plaisirs absolus, *comme parlent les métaphysiciens ; mais il paraît qu'il accroît les plaisirs* relatifs *: et je soupçonne que c'est l'artifice par lequel la nature a su lier les hommes à la vie, après la perte des objets ou des plaisirs qui la rendaient le plus agréable.*

CHAMFORT

AVANT-PROPOS

Ces textes volontairement divers par leur ton et leur forme ont deux grands points communs : d'abord, ils parlent du bonheur, du moins de ce qui donne du sel à la vie. Ils relèvent par là d'une conception de l'écrivain comme « nouveau moraliste ». « Moraliste » : c'est-à-dire qui s'intéresse à la manière de vivre de ses contemporains, qui pense qu'il n'y a (presque) rien de plus intéressant au monde. « Nouveau », parce qu'on n'est pas moraliste en cette aube du XXIe siècle comme au XVIIe ou au XIXe, encore que La Rochefoucauld ou La Bruyère, Vauvenargues ou Stendhal, De Quincey ou Leopardi n'aient démérité en rien et soient encore des exemples pour aujourd'hui. « Nouveau », peut-être aussi, pour suggérer qu'on a essayé ici d'être moraliste avec gaieté, en discourant sans pérorer et en analysant sans édicter – en tout cas le moins possible.

Deuxièmement, ces textes sont des textes écrits, nés d'une exigence aussi littéraire que philosophique. Tant il est vrai qu'on n'est moraliste qu'en tournant sa langue sept fois (ou huit) dans sa bouche, c'est-à-dire la plume à la main. Les plaisirs de la vie sont ici presque tous des plaisirs du langage.

1

PETITS ET GRANDS BONHEURS

« Qu'est-ce qu'on attend pour être heureux ? » chantaient, peu avant la guerre, Ray Ventura et son orchestre. Réponse : on attend que le bonheur soit aussi intéressant que le malheur. Le malheur a un éclat, une intensité extrêmement séduisante, luciférienne. Il a l'avantage insigne – sauf cas de masochisme (mais, alors, cela devient du bonheur !) – de n'être pas son propre but, de laisser toujours quelque chose à attendre (le bonheur, justement).

Le bonheur, au contraire, se noie, se dissout, disparaît en lui-même comme en quelque trou noir. Sa forme parfaite est le bonheur des pierres, l'inconscience. Quel intérêt, dans ces conditions, de l'obtenir ? On aurait tout, on n'aurait plus rien à espérer. Ce qui est bien, c'est d'espérer, c'est-à-dire de rêver ou, mieux, de se battre pour faire advenir. Chercher, plutôt qu'avoir. Être au commencement de quelque chose, ou en chemin, plutôt qu'arrivé. Attendre, plutôt qu'atteindre.

« La gloire est le deuil éclatant du bonheur » (Mme de Staël). On pourrait dire cela de presque tous les autres biens, de presque toutes les autres valeurs. Ce sont des ersatz. L'homme n'est grand, et actif, que parce qu'il n'a pas le bonheur, que pour oublier qu'il n'a pas le bonheur. Donc, chercher le bonheur, sans illusion, comme Guillaume d'Orange cherche le succès, mais, en attendant, se battre pour tous ces merveilleux ersatz.

Cela dit, ne faisons pas la fine bouche, ne jouons pas les esthètes. Un peu de bonheur ne fait pas de mal. (Mais est-ce que cela a un sens, « un peu de bonheur » ? Le bonheur, au singulier, n'est-il pas une totalité – tout ou rien ? Laissons la question en suspens.) Va pour un peu de bonheur.

Contentons-nous donc d'une version tempérée – d'un *presque* bonheur. Une asymptote du bonheur (c'est-à-dire se rapprochant de lui à l'infini). Ce presque bonheur constitué des « petits bonheurs » – ou des grands bonheurs – (au pluriel) de la vie : de ces quelques bonheurs inattendus, intenses, brefs – d'autant plus intenses que brefs, d'autant plus brefs qu'intenses – qui rendent la vie supportable : des lueurs, des éclairs qui foudroient, ou de simples éclairs de chaleur dans notre nuit.

Reste la question de la part de l'individu et de la part de la collectivité dans ce presque bonheur. Sauf crétinisme ou provocation, on ne peut les dissocier tout à fait. Fini, d'une part, le temps où le bonheur collectif, intérêt supérieur de la société auquel tout devait céder, y compris le bonheur individuel, régnait comme l'intouchable justification des pires malheurs. À bannir aussi la monstrueuse promotion actuelle du bonheur individuel en valeur supérieure et unique d'une société « hyperlibérale » devenue surtout société de l'hyperégoïsme. Comme disait déjà (à peu près) le Gide des *Nouvelles Nourritures* à son Nathanaël devenu « camarade » : « N'accepte aucun bonheur qui s'obtienne au détriment du plus grand nombre. » Tant qu'il restera un homme malheureux, le bonheur de chacun ne saurait être complet. N'est-ce pas Boris Vian qui rappelait : « Le bonheur de tous est fait du bonheur de chacun » ?

2

ÉLOGE DE LA DOUCEUR

Pris dans des sens, des systèmes, des fantasmes contradictoires, les couples de mots manichéens qui ont pu récemment servir de sésame ou de *vade retro* à certains commissaires idéologiques recyclés en critiques littéraires ne sont plus, hélas, que des mots, qui permettent de moins en moins d'y voir clair. Inutile pour l'heure de perdre du temps à les redéfinir. Le chipotage nominaliste ne ferait qu'entretenir ce climat de délation et de régression culturelle qu'ils ont réussi à imposer, un moment au moins, à propos par exemple de Michel Houellebecq. D'autant que les options attachées à certains mots ont au fil du temps totalement changé de sens (voyez les écologistes, opposés au « progrès » industriel à tous crins et donc d'abord catalogués comme « réactionnaires », avant que, maintenant qu'ils sont clairement classés « à gauche », un de leurs leaders ne devienne un ardent propagandiste du « marché », nouveau nom du capitalisme, naguère rédhibitoirement « de droite »). Mieux vaut s'arrêter à un clivage plus simple.

Ce clivage est entre ceux qui pensent, qui s'y essaient du moins, et ceux qui se laissent subjuguer par les « pensées » toutes faites sécrétées ou tolérées par le système économique (et boursier) dominant ; entre ceux qui s'attaquent au réel, qui s'y coltinent *à neuf*, qui *se font* inlassablement *les dents* sur lui pour lui faire rendre gorge (pour lui faire rendre sens) et ceux qui pourront s'autoriser le cas échéant des révolutionnaires canoniques ou des anticonformistes passés, mais pour bêler éternellement les mêmes vieilles audaces racornies et devenues dogmes, et empêcher toute interrogation, toute hypothèse, toute réalisation nouvelles. En vérité, la seule méthode honnête est de juger de chaque chose sur pièce, sans référence, directement. En se demandant, non pas si elle est conforme au dogme, « correcte » ou « incorrecte », « normale » ou « anormale », « de droite » ou « de gauche », « progressiste » ou « réactionnaire », mais ce qu'elle veut dire, ce qu'elle *dit*, si elle éclaire mieux le monde, et même en quoi elle fait avancer l'humanité.

Oui, la seule méthode honnête, quand les étiquettes sont à ce point enverminées et confuses, est de décrire, directement et précisément, ce que l'on considère comme positif et qu'on aimerait proposer aux contemporains et à ceux qui suivront. Alors – Dieu, Confucius, Marx ou Debord –, chacun reconnaîtra les siens !

Et je réponds, pour ce qui est de moi, que ce qu'il faut instaurer ou préserver ou relancer, c'est en priorité la capacité d'utopie, c'est-à-dire la non-soumission au fait, à l'état de fait – la liberté, le jeu, l'aptitude à imaginer quelque chose de mieux, non en rêve seulement mais avec la volonté entêtée d'y atteindre. Non tant, par conséquent, l'*u-topie* au sens littéral (c'est-à-dire ce qui n'existe pas, ce qui n'existe nulle part), que ce qui est quelque part, loin peut-être, en germe, et qui est à rechercher inlassablement, en serrant les dents, avec l'espoir d'y parvenir un jour et de faire que cela s'incarne, se localise, devienne *topie*. Hue, donc !

Dans mon utopie (je vais en parler, je le crains, comme le père Noël vide sa hotte – mais, tout près, les rennes piaffent déjà, *réent* déjà), on trouvera du grave et du moins grave...

... Par exemple, le bonheur pour tous, non pour quelques-uns. Le bonheur, *y compris physique*, c'est-à-dire sinon la beauté, du moins la désirabilité ou, sinon la désirabilité, du moins le droit à la caresse. Qu'on s'y prenne comme on voudra, modification génétique ou chirurgie, mariage ou prostitution (je désigne de ce vieux mot perclus, faute de mieux, le grand service public du sexe, l'érotomanie assistée et remboursée par la Sécurité sociale qui sera l'enjeu et la joie du XXIe siècle – ou du XXIIe – et que je célèbre plus loin), toujours est-il qu'on ne voit pas pourquoi nos pauvres bougres de frères et de sœurs humains n'auraient pas enfin tous droit, dans les prochains siècles et à tire-larigot, à ce B.A.-BA du bonheur qu'est l'orgasme. Que tous deviennent désirables ou caressables n'est pas gage de banalisation, de monotonie ni de papillonnage. Cette multiplication du bonheur peut être synonyme de richesse et de variété, elle n'exclut ni la préférence ni la fidélité – pas plus que la démocratie, si imparfaite soit-elle, n'a nécessairement rendu plus terne le personnel politique ni plus instables les États.

... Mais, par exemple aussi, parmi dix autres souhaits de plus modeste acabit, la suppression de la poussière. Oui, vous avez bien lu, de la poussière : plus de ménage ! Réduisez la pollution, tendez d'immenses filets filtrants ou pulvérisez dans l'air des particules d'anti-poussière : là encore, ô hommes de demain, faites comme vous voudrez, mais faites ! Ensuite, que le temps ainsi gagné sur l'astiquage et le balayage soit utilisé pour jouer de la clarinette ou à la pétanque, lire Proust ou Lao-tseu, faire du deltaplane ou une sauce Béchamel, une prise de judo ou la treizième figure du Kāma-sūtra, peu importe !

Au fond de cette fébrilité utopique, avec ses *desiderata* en apparence parfois farfelus, se love en réalité la très sérieuse recherche de ce que devrait être une civilisation digne de ce nom, ou, mieux, de ce qui – déjà présent ou non, à l'état partiel ou latent, dans les morales, les religions, les données culturelles contingentes qui se sont succédé dans l'histoire – devrait pouvoir être objectivement défini comme *la* civilisation. Dont seraient prioritairement à définir – tâche immense ! – les grands critères. À première vue (c'est-à-dire sans attendre d'en être au stade du système, du moins au stade où l'on se croit autorisé à *risquer* un système), on pourrait à mon sens en dénombrer trois : 1) *le fait de ne rien faire, notamment à autrui, en aucune mesure et sous aucun prétexte, de ce qu'on tient pour mauvais* (idée qui contredit de plein fouet les « faites ce que je dis, ne faites pas ce que je fais », les « pas de liberté pour les ennemis de la liberté », les « que messieurs les assassins commencent » ou autres célébrations homéopathiques et suicidaires de l'exception-qui-confirme-la-règle par quoi le progrès moral a été constamment freiné dans l'histoire ; mais idée aussi que vient déranger la question de la légitime défense, les meilleures munitions intellectuelles pour le débat que cela ne manquerait pas de provoquer étant vraisemblablement à chercher du côté de Gandhi) ; 2) *l'idée* (qui conditionne probablement la précédente, mais dont je n'ai pas à ce jour suffisamment examiné toutes les conséquences pour lui donner le même caractère absolu) *de ne faire qu'un avec soi-même*, c'est-à-dire de ne pas s'accorder la commodité des contradictions, des séparations, des schizoïdies – toutes divisions internes propices au cynisme, à l'hypocrisie ou à la mauvaise foi, qui sont les principaux obstacles à une vie sociale harmonieuse[1], mais qui permettent aussi, peut-être, dans certains cas d'échapper à la psychose (là encore, il faudra débattre) ; 3) *l'idée*, sans discussion celle-là, *que l'effacement volontaire de son ego au profit de celui d'autrui* (sang-froid, maîtrise de soi, politesse, non-violence, amour oblatif [*agapè*], sacrifice) *est supérieur à l'attitude inverse.* C'est ici que la douceur entre en scène.

La douceur est une qualité des peaux autant que des chansons, des pensées autant que des vins ou des eaux (c'est Jaurès qui disait que « c'est une belle chose que seules les pensées douces soient capables des longs voyages[2] »). Reste que, le plus souvent, c'est une qualité du tempérament – écoute, élocution, gestes –, repérable à son

1. On en trouvera une illustration prosaïque récente dans l'affaire du dopage des coureurs du Tour de France cycliste commentée par Francis Dordor dans *les Inrockuptibles* du 28 juillet 1999 : « "*Pas de contrôle positif, pas de dopage*", résume Voet. Il semblerait en effet qu'il n'y ait pas plus de duplicité de leur part qu'il n'y a de cynisme chez les hommes politiques ou les responsables de l'agroalimentaire qui, on le sait, veulent notre bien ; juste une certaine dose de schizophrénie. »

2. Jean Jaurès, conférence prononcée en 1884 à Albi dans le cadre de l'Alliance française. Reproduite dans : Jean Jaurès, *Textes choisis*, tome premier, « Contre la guerre et la politique coloniale », introduction et notes de Madeleine Rebérioux, Paris, Éditions sociales, « les Classiques du peuple », 1959, pp. 74-75

rythme un peu ralenti, sans à-coups, à sa manière de préférer les lignes courbes aux lignes brisées (d'« arrondir », comme on dit, « les angles ») et d'introduire une certaine apesanteur souriante dans les rapports humains.

La douceur n'est pas l'onction, encore moins l'onctuosité (au sens où l'on parle de manières onctueuses pour définir l'allure pateline, mielleuse, de l'hypocrisie religieuse). Religieuse ou laïque, la douceur est toujours simple et d'un seul tenant, elle n'a pas d'arrière-pensée ni d'arrière-plan, pas le moindre millimètre par où puisse se faufiler le feuilletage d'un mensonge.

La douceur n'est pas donnée (ou c'est la grâce). Elle est obtenue, elle est conquise. Sur la rusticité, la rudesse, la raideur. Sur l'énervement, la brusquerie. Sur tout ce qu'il y a de violemment animal en nous. Violence, joli mot doux qui désigne le pire de l'humanité, tout ce qui empêche l'homme d'être dieu. Zeus tonne et frappe, certes (au moins il ne viole pas, il séduit). Jéhovah idem (sauf la séduction des femmes : Jéhovah est un grand timide). Mais c'est bien simple, ils n'existent pas. Non, si les dieux existaient, il faudrait qu'ils fussent doux.

La douceur est liée à une certaine température, entre le chaud et le froid – à cette température médiane qui fait qu'on ne perçoit plus la distance entre soi et le monde, soi et les autres, qui fait que le monde (et soi dedans, avec les autres) est *d'un seul tenant*. La douceur est immanente, c'est l'immanence même. Elle est la condition météorologique de l'harmonie.

En vérité, quoique un peu héroïque, la douceur est humaine. Au prix de quelques efforts, comme j'ai dit, c'est une des rares valeurs accessibles à (presque) tous. C'est la forme préliminaire, laïque, atténuée, *faute de mieux*, de la bonté et de la sainteté. Faute de mieux – mais c'est un joli pis-aller : généralisée, elle ferait de l'humanité l'antichambre du paradis.

En attendant, elle est à notre portée, sous quelques formes lacunaires mais variées qui dépendent plus ou moins de nous. Il y a d'abord la douceur du temps. Elle s'observe en mai, en septembre. C'est, quelquefois avant terme (ou après), le miracle de l'été. Une certaine mansuétude de l'air. Une légèreté qui passe entre notre voisin de droite et notre voisin de gauche, et même entre notre bras droit et notre bras gauche, même entre notre oreillette droite et notre ventricule gauche, au beau milieu de nos atomes et de nos neutrons, partout, une sorte d'allègement d'être qui rend tout le monde plus jeune. C'est une conspiration, toute la jeunesse la plus belle sort des façades comme les escargots à la première ondée, c'est un coup monté, mais non c'est l'été, l'été, du verbe *être*, du verbe *printemps*.

Il y a aussi, plus généralement et plus abstraitement, la douceur de vivre, comme dans la phrase fameuse de Talleyrand : « Qui n'a pas vécu avant la Révolution n'a pas connu la douceur de vivre. » Cette phrase, par parenthèse, a donné d'un coup leur titre à deux des plus beaux films de l'histoire du cinéma italien et du cinéma en général, *Prima della Rivoluzione* de Bertolucci et *La Dolce Vita* de Fellini. La douceur de vivre ne se remarque qu'après coup. C'est la vie au tamis du souvenir, filtrée par le « regret souriant » (Baudelaire), débarrassée, par l'oubli, de ses injustices et de ses scandales, de ses rudesses et de ses accrocs.

La douceur de certaines peaux ? Voyez cela chez vos romanciers préférés – en espérant qu'ils sont bons (difficile, en effet, de décrire le côté crémeux et élastique ou simplement lisse d'une peau douce, jeune ou vieille). Ou, mieux, cherchez autour de vous – et place aux travaux pratiques !

Enfin, la douceur de la voix et la douceur des mots : finissons par les mots les plus doux de la langue française et de quelques langues amies, finissons par *finir*, faena, maestoso, *marjolaine*, *illumine*, *miroir*, *« million d'oiseaux d'or »*, *encensoir*, *encens*, *sentir*, *sirène*, *floral*, *fleurir*, *féerie*, *solitude*, *sylphide*, *syllepse*, *s'enfuie*, *soirée*, *soierie*, *souplement*, *soupir*, *sourire*, *mourir*.

(Tout de même : si tout le monde était doux, ne serait-ce pas insupportable, énervant comme le lait – comme un océan de lait ? Peut-être. La question méritera d'être posée le moment venu. *On n'en est pas là !*)

3

DU CHÔMAGE AU LOISIR

Le genre du libelle – pamphlet, « modeste proposition », etc. – n'est plus assez pratiqué par les écrivains. C'est un régal pourtant. C'est la façon qu'ont ces préposés à l'éternel de s'inscrire dans le présent. Façon plus vive, plus prompte, plus agréable, moins péremptoire, moins technique, mais non moins sérieuse, en vérité, que celle des experts, des politiques, des péroreurs. Écrits de circonstance ? Oui, mais qui ont des chances de durer.

Comme naguère Jean Clair (*De l'invention simultanée de la pénicilline & de l'*action painting *et de son sens*), Jean-Philippe Domecq (*Petit Traité de métaphysique sociale*) ou Régis Debray (*Encore un mot, cher Béré*), Renaud Camus nous propose un de ces essais éclair. Le titre – *Qu'il n'y a pas de problème de l'emploi*[1] – fait croire

1. Paris, P.O.L., 1994.

à une sorte de tribune libre pour quotidien. Cela commence peut-être ainsi, mais cela finit en traité de moraliste. On ne s'en étonnera guère de la part de l'auteur de *Notes sur les manières du temps* (P.O.L., 1985) ou d'*Esthétique de la solitude* (P.O.L., 1990), qui est une sorte d'honnête homme, comme on disait au XVIIe siècle. « L'honnête homme, écrivait Damien Mitton en 1680, est assez retiré et n'aime pas le grand jour. (...) Ce que l'on appelle grandeur, autorité, fortune, richesse, tout cela ne l'enchante point, il en démêle parfaitement les plaisirs et les peines. (...) [Il] ne dit et ne fait rien qui ne soit agréable, juste, raisonnable, et qui ne tende à faire que tous les hommes soient heureux. » Et aussi : « Il est circonspect, il est modeste, il ne fait point l'homme de conséquence (...). Il veut savoir tout et ne se pique point de rien savoir. »

Dans cette définition se dit quelque chose de l'écriture doutante, humoreuse, constamment vive et plaisante, qui distingue ici l'écrivain de l'expert. Quel énarque, quel « rapporteur » médiatique oserait écrire : « Et là je dois bien reconnaître, hélas, que je n'ai pas de véritable solution (...). Je suis un économiste de vingt-cinquième zone (p. 24) » ? Ou : « À qui fera-t-on croire, amour du ciel, que perdre son travail est un sujet de *honte* ? Bon, d'accord : à tout le monde, apparemment (p. 39) » ?

On devine par ces bribes l'argument du livre : le problème, ce n'est pas l'emploi mais les revenus. L'emploi n'est qu'un moyen d'avoir de quoi vivre – certainement pas le meilleur et, qui plus est, en voie de raréfaction. De plus en plus, ce minimum vital peut être obtenu hors emploi : allocations de chômage, allocations familiales, revenu d'insertion, bourses, stages, gros lots, retraites, revenus du capital ou de l'épargne, etc. Loin de la déplorer, on devrait se féliciter de cette « chance historique » (p. 23). Car elle apporte vaille que vaille la seule chose qui compte : du temps. Du temps pour s'épanouir, devenir soi-même – être autonome et citoyen –, se cultiver, s'il est vrai que la culture « est la claire conscience de la préciosité du temps » (p. 56) et l'art d'en bien user, le « jardinage des heures », comme dit joliment Camus. Bref, « la production des biens matériels nécessaires à la consommation sera dans l'avenir assurée par le travail de plus en plus facile et de plus en plus court d'un nombre de moins en moins élevé de personnes. Le travail et l'obsession du travail doivent donc perdre la place désormais abusive qu'ils occupent dans les préoccupations et dans le vocabulaire. C'est le loisir qui est à présent au centre de l'existence » (p. 66). Le loisir comme « synonyme de *liberté* ».

Où Renaud Camus rejoint magnifiquement... Cicéron, théoricien de l'*otium cum dignitate* (oisiveté digne), et le Sénèque du *De brevitate vitæ* (De la brièveté de la vie), où sont fustigés tous ceux qui se laissent déposséder d'eux-mêmes par des futilités, y compris le vieux Turannius qui, mis à la retraite par Caligula, prit le deuil jusqu'à ce qu'on lui restitue son emploi : « Est-ce donc agréable de mourir occupé (*occupatus*) ? », ironisait le philosophe (XX, 3). Tout en écoutant les candidats aux élections nous expliquer à qui mieux mieux comment ils *occuperont* un maximum d'entre nous, souvenons-nous, grâce à Renaud Camus, qu'il fut un temps – et que ce temps pourrait revenir – où « sans occupation » ne désignait pas un handicap (comme aujourd'hui *disoccupato* en italien, qui veut dire chômeur), mais un bonheur.

4

DIX PLAISIRS DANS LA VIE

Familiers ou, hélas, imaginaires, voici mes dix plaisirs préférés :

1) Lire des journaux intimes.

2) Faire de la bicyclette le long de la Marne ou de l'Yonne par un bel après-midi d'été.

3) Boire en amicale compagnie une bouteille de pétrus 1975, accompagnée d'une omelette aux truffes, en sachant qu'après il pourra y en avoir une autre et une autre encore.

4) Comprendre Sénèque, Swift ou Leopardi sans dictionnaire.

5) Réussir à enfermer en une belle phrase de dix mots une souffrance de dix mois ou une étude de dix ans.

6) Voir *Le Plaisir* de Max Ophuls pour la vingt-neuvième fois et y découvrir trente choses nouvelles.

7) Faire au lit la figure dite du double branchement céleste avec une jeune et belle personne.

8) Parler japonais sans accent.

9) Assister à une très bonne *Turandot* à Rome, en smoking, en août, dans les thermes de Caracalla, puis souper à la fraîche.

10) Lire une seule fois vingt fables de La Fontaine, le plus grand poète français, et les savoir aussitôt par cœur.

5

ÉLOGE DU CONTRETEMPS

Avez-vous remarqué comme le modèle de tous ceux qui veulent aujourd'hui notre bien – financiers, entrepreneurs, directeurs de supermarchés ou de compagnies de transport, gens de médias – est le « voyage organisé » ? C'est-à-dire la fixation. Comme on dit du papillon qu'on épingle, de la photo dont on fige les teintes ou de l'abcès qu'on provoque pour localiser une infection. (Cette infection qu'est un être libre !) Il s'agit de *fixer* chacun de nous à une place donnée et à un moment donné, si possible à *tous* les moments donnés, avec suffisamment de hochets et de poudre aux yeux pour que nous acceptions notre sort sans qu'on soit obligé de recourir à la force. Réservations obligatoires, abonnements ou impôts payables par prélèvement mensuel, emprunts qui vous ligotent pour des années, caveaux mortuaires payés d'avance, tout est bon pour cette grande *formolisation* de la vie.

On devine ce qu'à l'inverse on peut éprouver

de violent plaisir à s'en garder. Freiner des quatre fers ou foncer brusquement, prendre la tangente ou les trains en marche, ne s'abonner à rien, ne pas avoir de téléphone, portable ou non, payer scrupuleusement tout au fur et à mesure, n'attendre aucun *cadeau* des marchands, ne pas se précipiter au premier concert gratuit, au premier feu d'artifice venu, sortir quand il neige ou qu'il grêle, partir en vacances quand les autres rentrent (et tant pis pour le soleil !) : il y a parfois de la difficulté mais décidément une volupté singulière à ne pas être là où l'on nous attend et à y être quand on ne nous y attend pas.

Prenons les « voyages organisés », justement. L'« organisation » qui s'y exerce consiste le plus souvent à expédier, par paquets de cinquante ou de cent, de braves retraités dans les endroits les plus reculés de la planète pourvu qu'il n'y pleuve jamais, qu'on y ait tout pour une bouchée de pain, à commencer par le petit personnel domestique, qu'il n'y ait entre lesdits braves retraités et les autochtones aucun contact véritable, qu'enfin les « voyageurs » soient privés de toute initiative et n'aient aucune curiosité intempestive.

On ne dit d'ailleurs plus « voyageurs » mais « touristes », et non plus au beau sens de Stendhal, mais à celui du tourisme de masse, qui est au « voyage » ce que la production de poulets en batterie – de poulets réduits à la hideuse non-existence d'avortons immobiles et pâlots attendant le cellophane – est à l'élevage en liberté.

L'un est la caricature pseudo-démocratique du second. En fait, il y a la même différence entre le « tourisme » et le « voyage » qu'entre les textiles synthétiques et les laines pures, entre les appareils à courir sur place dans les salles de gym et les galopades à travers champs, entre le *pidgin* angloïde prétendument universel et la possession véritable d'une ou de plusieurs langues étrangères, ou, à défaut, le truchement d'interprètes connaissant parfaitement ces langues.

Ce n'est pas l'idée d'« organiser » son voyage qui est fâcheuse (même s'il est sûr qu'on peut aussi bien voyager en se laissant « rouler au vent », comme dit Montaigne, et en improvisant), mais l'idée de « voyage de masse », en troupeau, sur des lieux convenus, balisés et mythiques (au sens, comme chez Roland Barthes, de mystification plus que de grande et belle mythologie).

On dira que, pour de « petits budgets », c'est la seule solution. Mais est-ce une « solution » que de faire mal et partout ce qu'on pourrait faire bien dans certains endroits qu'on aurait vraiment choisis ? De même, à quoi bon courir manger partout à travers la planète le même mauvais hamburger plutôt que d'aller de temps en temps découvrir chez l'habitant ou dans un grand restaurant les spécialités de deux ou trois pays que l'on a appris à connaître et à aimer ? Ce qui navre, c'est la frénésie du quantitatif pauvre, de la série, préférée à la recherche du qualitatif riche et à l'expérience du choix. Ne plus vouloir – ou ne plus savoir – choisir, c'est encore choisir : mais choisir le médiocre, le superficiel, l'ersatz. *Les Nourritures terrestres* et l'idée de disponibilité, d'errance, de découverte perpétuelle ? Mais, chez Gide, cela s'accompagnait d'un goût presque ascétique du dépouillement et de la recherche de l'intensité dans l'expérience : une sorte de vagabondage supérieur – le contraire des travaux forcés du tourisme de masse.

Des travaux forcés, le tourisme de masse a d'ailleurs cet autre trait caractéristique : l'uniforme. On y a si piètre considération des régions traversées qu'on s'habille relâché, pauvre, court, en short, en caleçon, comme pour ne pas se salir, comme pour marquer le flottant mépris qu'inspirent l'environnement et les autochtones. Autrefois, quand on s'apprêtait à rencontrer des inconnus, on se mettait sur son trente et un ; aujourd'hui, c'est sur son vingt-neuf – que dis-je ? sur son zéro ! Même chose pour la curiosité : elle aussi porte uniforme. Pressé par les guides ou, pire, spontanément, on y montre des goûts, qu'on n'a pas d'ordinaire, pour les musées de la faïence ou du vélomoteur, les vieilles pierres, les panoramas *pittoresques*, et un aveuglement colossal à tout le reste. Est-il donc surhumain d'être chez les autres aussi coquet, flâneur, convivial, respectueux et curieux d'autrui, amateur des mille réalités de la vie quotidienne qu'on l'est chez soi ? Non comme un élément d'une horde de doryphores dans un champ de patates, mais comme un ami ou un cousin en visite. Ou simplement comme un nouvel habitant de l'endroit, fraîchement installé et désireux de s'y intégrer le plus harmonieusement possible.

C'est, dites-vous qu'on n'a pas le temps, le « tour opérateur » ne l'a pas prévu. D'abord, faites-moi plaisir, dites plutôt « voyagiste », qui fait saisir de façon immédiate, *transparente*, ce que votre monstrueux vocable (qui n'est que le décalque d'une tournure anglaise) ne permet pas de comprendre. Le voyagiste est au voyage ce que l'aubergiste est à l'auberge, ce que le visagiste est au visage, ce que le paysagiste est au paysage – c'est-à-dire qu'il est censé s'en occuper le mieux possible. Est-ce toujours le cas ? Peu importe, car, de toute façon, on peut agir avec les voyagistes comme avec les bagagistes ou les paysagistes, c'est-à-dire qu'on peut utiliser leur compétence pour leur faire faire le contraire de ce qu'ils sont habitués à faire. C'est-à-dire qu'on peut les détourner. En tout, y compris en art et même en amour, ayons foi en la vertu du *détournement*. Conseil, donc : consultons les voyagistes, utilisons leur savoir-faire pour trouver les billets au meilleur prix ou faire telle ou telle réservation indispensable, mais, au bout du compte et sur place, n'en faisons qu'à notre tête. Déconstruisons leurs réseaux, leurs raids organisés, leurs abominables raccourcis. Pas de raccourcis, des rallongis ! Des voyages « désorganisés » ! Ne voyageons plus, *dévoyageons* !

Car, avec cette rationalisation perverse et rabougrissante, tous ces aéroports, ces musées, ces excursions, ces menus, ces chambres d'hôtel, ces paillotes qu'ils enfilent à la va-vite comme une rangée de fausses perles et dont ils provoquent la standardisation, ces « organisateurs » sont les agents les plus puissants de la mondialisation, c'est-à-dire de la tristesse universelle. Quel plaisir, en effet, aurons-nous à voyager quand la terre entière ressemblera au même immense Disneyland ? (Voyez, en 1999 encore, la construction à Las Vegas d'une fausse tour Eiffel et d'un Opéra de Paris en toc !) Vive au contraire la pluralité, vive la surprise, vive l'arc-en-ciel des langues et des cultures, vive le chatoiement du monde !

Maintenant, ce qui est vrai des voyages dans l'espace l'est aussi de ce voyage dans le temps qu'est l'organisation chronologique de l'année. Elle est – elle l'a toujours été, mais elle l'est aujourd'hui d'une façon de plus en plus massive, bien analysée par Philippe Muray – l'occasion d'une formidable pression sociale. Non seulement dans la répartition entre jours ouvrables et jours fériés, mais dans le type d'intérêt culturel, ludique ou marchand que chacun *doit* éprouver à chaque moment de chaque mois, voire de chaque jour, ouvrable ou férié. Au Moyen Âge, on chômait en l'honneur de tel saint patron, on fêtait la naissance de la Vierge ou la mort de Jésus, occasions pourvues au moins d'une certaine élévation. Aujourd'hui, il semble qu'une nouvelle Église choisisse sans cesse pour nous pléthore de fêtes carillonnées plus consternantes et picrocholines les unes que les autres. Son saint patron est l'argent, ses carillons de plus en plus assourdissants, les médias (dont l'image la plus *brute de décoffrage* est aujourd'hui la publicité pour les baskets ou les *fast-foods*). L'imposition récente en France, en à peine deux ans de matraquage médiatique et pour la plus grande gloire des marchands de citrouilles ou de masques de sorcières, du rituel américain de l'Halloween en est un exemple ébouriffant. Mais les prétextes les plus altruistes, voire les mieux pensants, peuvent relayer la simple cupidité. Au train où cela va, dans la prolixe postérité de la pétainiste Fête des mères et en anticipant à peine, on peut s'attendre à devoir bientôt célébrer une Fête des cousins et cousines, une Journée des amputés, un Mois de la cravate et du porte-jarretelles, une Biennale internationale des nains de jardin, une Nuit des aveugles, une Grande Parade des femmes battues, une Journée européenne de la soif, en attendant sans doute une Journée mondiale de la crétinerie.

À défaut de les empêcher, prenons le contrepied de ces directives (je parle de celles qui ne sont pas imaginaires : téléthon, Halloween ou Saint-Valentin). Faisons dans le contretemps et le rebrousse-poil généralisés. Découvrons-nous des envies de cinéma en plein mois d'août, divorçons le jour de la Fête des mères, partons en Afrique au moment du Tour de France, ne buvons que de l'eau de Vichy le soir du beaujolais nouveau, n'employons que les mots de Villon ou de Racine lorsque sort l'édition annuelle du Petit Larousse avec son lot de néologismes éphémères, ne voyons plus un seul film au moment du festival de Cannes, faisons l'ascension du Mont-Blanc le jour de la finale du Mondial, et surtout, surtout ! enfermons-nous chez nous le soir de la Saint-Sylvestre pendant que tous ces crétins s'embrassent ou s'envoient des canettes à la gueule sur les Champs-Élysées.

6

DIX PAYSAGES CHOISIS

Mes dix paysages préférés, ceux qui me feraient mettre le nez dehors par n'importe quel temps ou presque ? Mettons : Paris, de partout, et surtout de chez quelqu'un que j'aime particulièrement, de son toit, face à l'Hôtel-Dieu et à Notre-Dame ; la rue Sherbrooke à Montréal sous la première tempête de neige ; Rome du haut du jardin Borghese ; le café Falstaff près de la Bourse à Bruxelles ; les gorges du Tarn (c'est un souvenir d'enfance) ; le Pays basque à Saint-Jean-Pied-de-Port, l'été ; ma bonne ville de Rouen quand on arrive en train de Paris et qu'elle apparaît soudain dans la lumière de la vallée de la Seine ; la 42e Rue à New York, brillant la nuit de tous ses feux et de toute sa misère ; les rues animées de Séville, la nuit, quand la manzanilla coule à flot ; et la vue que j'avais de la Villa Kujoyama quand j'y ai séjourné : on y voit Kyoto, ex-capitale impériale japonaise, dans toute sa splendeur orthogonale et bordée de collines. Oui, ce sont surtout des villes. Je suis incorrigiblement urbain !

7

L'IN-UNIFORMITÉ

Le mal le plus redoutable qui guette l'humanité en cette orée du XXIe siècle n'est ni le sida, qu'on finira bien par vaincre, ni la pollution, qui fera beaucoup de mal encore mais qu'on apprend à réduire, c'est l'uniformité. « L'ennui naquit un jour de l'uniformité », écrivait dans une de ses *Fables*, en 1719, Houdar de La Motte, partisan des Modernes. Il avait raison, sauf que si l'uniformité l'emportait dans le monde, l'ennui aurait bien des frères : la régression culturelle, la fin de tout processus dialectique et de tout espoir de changement, et, à plus ou moins longue échéance, la mort.

Deux types de forces s'acharnent aujourd'hui à ce nivellement de la planète : les multinationales capitalistes américaines – américaines, sinon dans leur raison sociale (elles peuvent être européennes ou japonaises), du moins dans les modèles « culturels » de masse qu'elles imposent – et les fanatismes religieux (pour l'heure, principalement l'Islam, dans les versions dévoyées qu'en donnent les intégristes). Autrement dit, le Coca-Cola et les ayatollahs. Les unes avancent comme un rouleau compresseur, les autres comme un incendie. Les unes par la télévision et le disque, les autres par les muezzins et le bouche-à-oreille. Mais elles ne sont antagonistes qu'en apparence : il est permis aujourd'hui d'imaginer un monde – il existe déjà en partie – où les hommes se rendront à la prière en baskets Nike ou Adidas, iront brûler des effigies de Salman Rushdie entre deux parties de Nintendo, avant de rentrer manger le *hamburger* et les *corn flakes* que leurs épouses, confinées et voilées à la dernière mode de lingerie bon marché *made in Taiwan*, leur auront préparés tout en suivant à la télévision « la Roue de la fortune » ou *Dallas* en version non doublée.

Cette uniformité est celle d'un prêt-à-porter généralisé, non seulement dans les vêtements et l'économie, mais dans l'idéologie : prêt-à-porter *sous*-linguistico-culturel des multinationales (le pidgin et les *fast-foods*) et prêt-à-porter *sous*-religieux des sectes (les fanatismes et les superstitions : astrologie, maisons hantées, etc.).

Ce travail de régression et de décervelage se fait par un double arasement : dans l'espace et dans le temps. Dans l'espace, c'est, au nom d'une prétendue « mondialisation », la destruction des diversités nationales. Dans le temps, c'est, au nom d'un prétendu « progrès », l'organisation de l'amnésie culturelle.

Dans l'espace, d'abord. Il s'agit de réduire, de toutes les façons possibles, le seul véritable obstacle à un marché unifié : les nations, au sens laïque et démocratique du terme, c'est-à-dire ces grands regroupements d'individus d'origines diverses rassemblés, dans un espace donné, par une langue et une culture communes. Ces nations sont le meilleur rempart contre le nationalisme et contre le tribalisme (même rebaptisé « communautarisme ») : c'est faute d'avoir su ou pu se fondre en une véritable nation, garantissant l'existence et la liberté d'expression de tous ses membres, que le Liban ou l'ex-Yougoslavie, par exemple, ont donné le terrible spectacle auquel on a assisté à la fin du XXe siècle. Mais les nations sont en même temps une source de différences [1],

1. Pour ne donner qu'un exemple, que je m'autorise au nom de l'amitié qui me lie au Japon, je dirai que toutes les fois que des hommes d'affaires japonais mettent sur le marché français des produits portant un nom anglais ou, plus grave, veulent, comme l'entreprise Mitsubishi envisageait de le faire dans le quartier de la Défense, appeler « Japan Tower » – et non « Tour japonaise » – un édifice destiné à s'inscrire dans le paysage urbain parisien, ils peuvent peut-être obtenir l'assentiment d'une petite minorité de « décideurs » français, mais ils risquent en réalité de choquer en profondeur une majorité de Français attachés à leur langue. Je ferais la même remarque, en sens inverse, si des hommes

de nuances, de complexités qui font toute la richesse de l'humanité et qui sont autant de complications pour les multinationales qui veulent vendre partout les mêmes marchandises, les mêmes nourritures, les mêmes voitures, les mêmes films. Pour bousculer ces obstacles, elles poussent à la formation de grandes zones de libre-échange où les nations seront soumises, sans défense, à un véritable processus de dissolution (comparable à celui des aliments dans l'estomac !) ou qui constitueront, selon une autre image plus célèbre, d'immenses poulaillers « libres » où le renard « libre » pourra « librement » manger toutes les « libres » poules. À défaut, les multinationales et leurs agents pourront tenter de discréditer les nations en feignant de les confondre avec les nationalismes (qui en sont, répétons-le, l'exact opposé) ou en invoquant un prétendu « sens de l'histoire » ou de prétendues « fatalités économiques » qui les condamneraient à disparaître.

Car la manipulation se fait aussi dans le temps. On a cru, ou tenté de nous faire croire, depuis au moins le siècle des Lumières, qu'il y avait un progrès dans l'histoire et que ce progrès consti-

d'affaires français se mettaient en tête de donner des noms chinois ou coréens à des produits ou à des édifices destinés au Japon.

tuait un mouvement irréversible, une loi. C'est sans doute vrai pour le savoir scientifique, mais pour lui seul. Pour le reste, morale et politique notamment, la seule loi que connaisse l'histoire, hélas ! c'est la tentation du pire, la force de régression qui, comme un élastique, ramène la communauté humaine à ses lamentables débuts. Rien n'est donné, rien n'est acquis une fois pour toutes. Tout est à reprendre à chaque génération, voire plusieurs fois par génération. Sisyphe doit constamment remonter son rocher. C'est-à-dire transporter et raviver le meilleur de ce qui vient du passé. Ce qui est plus difficile que de se laisser aller au « mouvement de l'histoire », nom que se donnent – allégorie sinistre – l'Intérêt hissé sur la Paresse. Se laisser emporter, tel le fétu de paille dans la bourrasque ou le chien crevé au fil de l'eau, par les courants dominants – c'est-à-dire par les courants dominants du marché ou de l'idéologie, les prétendues « nouveautés », les « pensées » et les comportements « à la mode », bref par tous les conformismes –, c'est le contraire d'un véritable progrès et le contraire d'une attitude d'avant-garde. Ces courants dominants peuvent conduire à des reculs, des amoindrissements, des catastrophes, voire à l'abîme. La vraie avant-garde, au contraire, *suit*, comme disait Gide et comme fait Sisyphe, *sa pente en montant.*

Le danger, pour nos sociétés, ce n'est pas qu'elles changent, c'est qu'elles changent trop peu, trop mal, c'est qu'elles régressent plus qu'elles ne progressent. C'est qu'elles croient changer parce qu'elles deviennent amnésiques, jettent tous les manches après toutes les cognées, tous les bébés avec toutes les eaux du bain. Le vrai changement est autant réflexion et tri que précipitation, résistance que laisser-aller, préservation qu'abandon.

Contre ce double danger – de soumission au prétendu « sens de l'histoire » (en fait aux impératifs du marché) et d'amnésie culturelle –, qui conduit à une même catastrophe : un monde uniforme, standardisé et crétinisé, les hommes, principalement les hommes de culture, écrivains, artistes ou penseurs, doivent se prémunir par la connaissance véritable de l'histoire et le culte sans limite de la liberté, particulièrement de la liberté d'imagination.

Tenir vraiment compte de l'histoire n'est pas simple. Les grands sages ou les grands hommes de chaque pays ont généralement une bonne connaissance de l'histoire : en France, Montaigne, de Gaulle ou Mitterrand (pour prendre trois exemples très variés). Mais cela peut être parfois un piège et conduire à des erreurs d'appréciation (le proserbisme de Mitterrand dans l'affaire yougoslave). Car l'histoire ne se répète jamais exactement. Elle est même, bon nombre de fois, contrairement à ce que prétendent *après coup* certains bons apôtres, totalement imprévisible. Elle est une leçon, elle donne des leçons – mais à condition de n'en oublier aucune, surtout parmi les plus récentes. Une mise à jour constante est nécessaire. Ainsi, parmi ces leçons d'actualité, le fait que, pour les collectivités humaines comme pour les individus, les problèmes ne disparaissent pas avec les expédients ou les somnifères (tel, dans les « pays de l'Est », le long somnifère stalinien). Ils ne disparaissent que s'ils sont pleinement *résolus* et cela demande un *travail* (comme le travail du deuil décrit par Freud) qui, à défaut d'aller tout de suite courageusement et chirurgicalement au fond des choses, peut être terriblement long et éprouvant (trois guerres entre la France et l'Allemagne pour arriver à l'étroite alliance d'aujourd'hui ; combien, entre Israël et les Arabes ?).

L'autre remède, contre les fatalités du pire, est de garder le sens de la relativité et du possible. De desserrer les déterminismes par l'ironie. De s'en jouer en jouant avec eux, comme le surfeur joue avec la vague. C'est le sens de la fiction en général, de la critique-fiction en particulier (pour faire allusion un instant à mes petites tentatives personnelles). Par elle, en essayant d'imaginer ce qui se serait passé si Hitler était mort en 1938 ou si Rimbaud n'était pas mort en 1891, ou en se demandant si, en fait, Lénine n'était pas secrètement dadaïste, on voyage dans l'histoire et, tout en en prenant une connaissance intime, on éprouve jusqu'à la griserie le sentiment de sa contingence. En se persuadant que tout pourrait toujours être autrement, on se muscle la volonté. Loin de s'en laisser accroire par les apôtres fanatiques de la fatalité ou par les chantres des nécessités économiques, on retrouve la dure jubilation d'être acteur de l'Histoire. Comme dans ces expériences vécues par l'ethnologue américain Castaneda grâce à la consommation de certaines herbes et à l'enseignement d'un sorcier yaqui, on s'habitue en quelque sorte à diriger ses rêves et à se déplacer à sa guise dans un temps sans limites.

Ainsi se ménage-t-on ce qui sera la denrée la plus précieuse en ce IIIe millénaire : des lendemains qui chantent, parce que ce seront des lendemains qui changent. Des irisations, des diaprures, du multiple. De l'in-uniformité.

8

ÉLOGE DE LA FARCE

« Que faire ? » L'éternelle question des victimes de l'adversité ou de l'ennui, la question de Lénine, du Petit Poucet, d'Anna Karina dans *Pierrot le Fou* et de Dieu lui-même un quart d'heure avant la Création, a reçu dans les siècles des siècles des réponses contradictoires quoique également extrêmes. « Tout », ont répondu les uns, notamment Dieu, le Petit Poucet et les théoriciens du Grand Soir. « Rien », ont répondu les autres – qui, dans le dernier cas, peuvent être les mêmes selon qu'on les prend avant ou après la chute conjuguée du mur de Berlin et des « idéologies ». Comment trancher ? En ne tranchant pas. En faisant tout mine de rien, ou rien mine de tout. En choisissant la farce.

Qu'est-ce qu'une farce ? C'est un faux-semblant destiné à attraper quelqu'un, à faire rire à ses dépens, voire à lui donner une leçon. C'est une façon d'introduire un grain (de folie ou de sable) dans les rouages bien huilés d'une vie, d'une institution ou, plus généralement, du monde comme il va (ou plutôt ne va pas). C'est un appel, un vœu. Pieux ? Pas sûr. Car, bien menée, la farce révèle, interpelle, met les rieurs du côté de la justice ou du droit et n'a, au bout du compte, pas moins d'efficacité qu'un discours-fleuve ou qu'un bain de sang. C'est un exorcisme ludique qui fait apparaître le grotesque ou l'arbitraire de ce qui est, et la nécessité de ce qui devrait être. C'est un acte magique, une façon de mimer un avenir moins sot. Dans le meilleur des cas, les grèves et les révolutions commencent par être des farces ou des carnavals, des farandoles et des carmagnoles. En redevenant sérieuses, en coupant les têtes au lieu de se les payer, elles régressent et meurent.

La farce peut conduire à l'esthétisation du monde, à l'irrespect, à la guérilla. À l'esthétisation : même quand elle paraît placée sous le signe de la simple *rigolade*, c'est-à-dire de la pure dépense ludique, elle apporte de l'oxygène et redonne du sel à la vie. On retrouve ici le sens premier du mot : hachis d'aliments dont on truffe un mets pour le rendre plus savoureux. Par le détournement, le déplacement, le déguisement, la farce truffe cette chienne de réalité et la rend moins indigeste. Les moustaches que Marcel Duchamp met à la Joconde, la farce les met à tous les êtres et toutes les choses. Elle annonce, le sérieux en moins, l'action artistique, le happening, la performance.

Elle conduit aussi à l'irrespect de ce qui n'est pas respectable (et au respect de ce qui l'est). Elle désacralise, démasque, fait paraître bluffs et lacunes. Preuve cet exemple, que je certifie authentique. Pour les besoins d'un roman[1], où mes personnages étaient censés faire ce canular, j'ai envoyé naguère un exemplaire de la traduction française d'un des plus grands romans du XXe siècle, *Mrs. Dalloway* de Virginia Woolf, à vingt et un éditeurs français ou francophones, dont certains des miens. Bien sûr, j'ai changé les noms et les lieux (Virginia Woolf est devenue Virginie Lalou, Dalloway est devenu Beauchemin, Londres est devenu Paris, etc.), mais pour l'essentiel le texte, le merveilleux texte debussyste et mélancolique de Woolf, a été recopié tel quel. Pas un éditeur – même pas Stock, qui l'a *effectivement* publié en 1929 et réédité depuis sans cesse – n'en a voulu ! Certains ont même tenté de justifier leur refus (« mode narratif insuffisamment élaboré et maîtrisé »). Je ne sais si c'était drôle, mais je sais au moins que quelque chose de la réalité actuelle de l'édition est ainsi apparu.

Il faudrait des farces à l'Académie, à Notre-Dame, à la Sorbonne, à Matignon, à l'Élysée, à la Bourse, au Parc des Princes, à la télévision, partout où quelque chose pèse ou se fige, tyrannise ou paralyse. Des groupes autonomes ou des

1. *Les Martagons*, Gallimard, 1995.

syndicats s'y sont parfois essayés, trop peu. Le plus souvent, la farce atteint son maximum d'efficacité sur des individus ou de petites institutions. Elle peut alors avoir vertu contestatrice, être une forme douce de guérilla, préparer à toutes les résistances. La farce, c'est glisser un traité de puériculture sous la jaquette du dernier Sulitzer ou une cassette porno dans le boîtier de *la Vie de sainte Bernadette* de Jean Delannoy, c'est lâcher de vraies souris à Eurodisney, c'est profiter, en juillet, des caméras héliportées de la télévision pour faire découvrir à la France entière des inscriptions incongrues sur la route du Tour, c'est organiser une fête « sans-culotte » devant le mémorial aux Chouans inauguré naguère en grande pompe par M. de Villiers et Soljenitsyne, c'est mille choses. C'est le retour du possible au cœur des plus épaisses nécessités.

Après les cent fleurs de Mao, que viennent les cent farces et que chaque jour de l'année soit un 1er avril !

9

SURPRENDRE, ÊTRE SURPRIS

Nous avons deux êtres, deux vies : l'une réelle, l'autre imaginaire. Dans la vie réelle, nous n'abhorrons rien tant que les surprises, particulièrement les mauvaises. Dans la vie imaginaire, nous les chérissons, surtout les mauvaises. (Pensons à toutes les horreurs dont sont pleins les contes pour enfants et dont les enfants raffolent en quelque sorte ontologiquement. Car c'est ce qui les apprivoise, les prépare à l'horrible tranquillité d'une vie humaine : l'impression que toute cette routine qui s'annonce n'est que sursis, parenthèse, dans un enfer de prodiges et de cruautés. Pensons aussi à l'enfant prolongé, au *surenfant* qu'est, de ce point de vue, le lecteur de romans noirs, de polars, le spectateur de films d'horreur ou de suspense.) Le bonheur, dans la vie réelle, est à la façon des Anciens, stoïciens particulièrement : ataraxie, absence de vagues. Dans la vie imaginaire, au contraire, il est à la façon romantique ou baudelairienne : enfer ou ciel, qu'importe, mais de l'inconnu ! mais du nouveau ! mais des vagues et même des ouragans ! – « levez-vous, orages désirés ! », « chéri, fais-moi peur ! » ou bien, comme Diaghilev à Cocteau : « Étonne-moi ! »

Une surprise n'est telle que de n'avoir pas été prévue. Mais elle aurait pu l'être. Elle est imprévue, non imprévisible ; inattendue, non inexplicable. Elle est telle par ignorance, insuffisance de réflexion ou de savoir. Pour Dieu, il n'y a pas de surprise. Celui qui sait n'est jamais surpris. Il comprend la chaîne des causes et des effets.

Le sage non plus n'est pas surpris. Mais sage ne veut pas dire qui sait ; sage veut dire qui admet, qui a prévu non tant la réalité que la possibilité de ce qui survient à l'improviste. Le sage s'attend à l'inattendu. Le stoïcien, par exemple. Pas de mauvaise surprise pour le stoïcien. « Quand tu rentres de voyage, dit à peu près Marc-Aurèle, attends-toi toujours à retrouver ta maison brûlée, ta femme violée, tes enfants égorgés. » Après cela, on ne peut avoir que de bonnes surprises.

Le concept de surprise comporte donc en lui-même sa propre négation, du moins sa propre critique : une surprise est toujours quelque chose qui n'aurait pas dû être. *Ou bien* on aurait dû la *voir venir* avec précision, *ou bien* on aurait dû s'attendre vaguement, imprécisément, à elle. Elle est toujours le signe d'un manque de *sapientia*, science ou sagesse. Elle est du côté du négatif. Cela, dans la vie réelle.

Le miracle, le paradoxe est que, dans la vie imaginaire ou artistique, c'est le contraire. La surprise joue un rôle très fortement valorisé. C'est vrai de l'art en général, de ses fonctions, de sa réception, de son destin, mais aussi de l'œuvre d'art particulière, dans son organisation intime, dans les stratégies qu'elle met en œuvre pour capter l'attention ou la relancer.

Je renonce ici, le cœur un peu déchiré, à de beaux développements possibles sur le rôle de la surprise dans la naisance de la pensée ou dans l'expérience de la beauté. Dans un cas, la remarque d'Aristote sur la philosophie fille de l'étonnement (« le sage est celui qui s'étonne de tout », dira en écho Gide dans *Les Nourritures terrestres* – propos évidemment peu stoïcien). Dans l'autre, la beauté – particulièrement la beauté humaine – comme effroi (Platon), à tout le moins comme perturbation pouvant conduire au plus extrême égarement (comme on voit dans *Manon Lescaut* ou à la fin de *La Mort à Venise* de Thomas Mann).

Mais soyons bref. J'irai donc, sur l'art en général, *à bride abattue*, quitte à entrer dans quelques détails sur l'œuvre en particulier.

L'art, dans sa généralité, est rupture – mais rupture agréable (et n'est-ce pas là une définition possible de la surprise ?). Que, mobilisant Bataille ou Caillois, on le relie au sacré, dont il serait l'abâtardissement ou la laïcisation, à la dépense, au luxe et même à la gabegie, à la fête ou à la cérémonie : dans tous les cas, l'art rompt avantageusement avec le profane et la quotidienneté, la grisaille et l'ennui. Même s'il les retrouve pour les mimer ou les singer de façon critique, il y ajoute cette fameuse fonction poétique dont parle Jakobson et qui consiste en une sorte de narcissisme cérémonial et d'ajout festif : les mots, par exemple, au lieu d'être les humbles serviteurs d'une information à transmettre, vont se parer, chercher à attirer l'attention sur eux-mêmes, donner le plaisir supplémentaire de la plasticité ou de la musicalité – rythme ou assonance. D'où surprise, toujours.

Donner le plaisir de rompre avec la triste réalité n'est cependant qu'une des fonctions de l'art. Son autre grande fonction, qui est de rendre compte du réel ou de lui demander des comptes, de le redoubler pour le célébrer ou le contester, n'est pas moins liée à la surprise. C'est toute l'analyse du réalisme ou de la perception artistique par les formalistes russes – Jakobson ou Chklovski – qu'il faudrait ici rappeler. Si l'art n'a pas seulement pour rôle de décorer et de distraire, mais de faire mieux voir ou mieux entendre (entendre à tous les sens du mot), il a perpétuellement à lutter contre ce qui émousse la sensation, à savoir l'habitude. Or comment réveiller la sensation et la constituer en perception véritable sinon en présentant soudain la réalité d'une façon inattendue, donc en surprenant par la couleur, la forme, l'agencement des mots ou des sons ? La succession des écoles – particulièrement des réalismes –, dans le roman ou le cinéma autant que dans la peinture ou la sculpture –, n'est qu'une course à la vigilance, au réveil de l'œil et de l'oreille – et de l'esprit. L'histoire de l'art est une histoire des surprises.

Certes, une perversion guette, qui est, à suivre Harold Rosenberg ou Jean Clair, la perversion favorite de notre modernité : la recherche de la surprise pour la surprise. Les futuristes italiens en sont un bon emblème, par exemple dans leur manifeste *Théâtre de la surprise* de 1921 [1], où ils ont un point de vue de jeunes gens pressés, peu soucieux de ménager les ancêtres, jugeant tout en termes de place à prendre : « Raphaël, ayant choisi pour une de ses fresques un mur du Vatican déjà décoré quelques années auparavant par le Sodoma, fit gratter sur le mur l'œuvre merveilleuse de ce peintre, et y peignit sa fresque, sans

1. Manifeste de Marinetti et Cangiullo, *in* Giovanni Lista, *Manifestes futuristes*, Lausanne, l'Âge d'homme, 1973, pp. 279-280.

regret pour l'œuvre détruite, car il pensait que la valeur principale d'une œuvre d'art est constituée par son apparition surprenante. » (Évidemment, ce gougnafier de Marinetti feint de trouver cela bien.)

C'est le paradoxe de la « tradition du nouveau » selon l'expression de Rosenberg. La surprise s'évente et s'épuise d'être trop attendue. Tout cela conduit, par une surenchère paradoxale et selon des cycles que certains ont cru pouvoir décrire, à des formes de plus en plus tordues (baroques, si l'on veut), monstrueuses et sulfureuses (c'est le « belle hideusement d'un ulcère à l'anus » de Rimbaud) ou, par réaction, à des formes ou des non-formes de plus en plus minimales (monochromes d'Alphonse Allais ou de Malévitch, morceaux de silence de John Cage). Cela peut même conduire au conformisme et au kitsch, au *ready-made*, la seule surprise possible, à la fin, étant qu'il n'y ait plus de surprise, voire plus rien du tout.

Ces surprises – et j'en viens maintenant à la manière dont l'œuvre est reçue – peuvent n'être pas du goût de tout le monde. La surprise peut être scandale. Deux observations seulement sur ce point. La première est qu'on pourrait dire, en reprenant les analyses de Roger Caillois dans *L'Homme et le Sacré*, que l'œuvre d'art en tant que création est en elle-même et de toute façon scandaleuse. Ajouter quelque chose, fût-ce trois fois rien, à la Création (avec un grand « c »), c'est rompre un ordre, profaner, transgresser – et cette transgression scandaleuse appelle un exorcisme, le recours à on ne sait quel sacré qui cautérise. D'où les rituels d'inauguration – bénédictions ou cocktails. Deuxièmement, notre modernité n'est pas forcément éprise de scandale. Au moment même où nos amis futuristes ou dadaïstes se lançaient dans leurs farces & attrapes, leurs *serate* ou leurs soirées du *Cœur à barbe* avec gifles, coups de poing ou de cannes et bras cassés, Cocteau, plein de bonne volonté pédagogique, expliquait que le créateur ne doit pas chercher à égarer le public – celui-ci l'est bien assez tout seul – mais à aplanir au contraire le terrain autour de l'œuvre nouvelle, à construire des escaliers qui y mènent.

C'est peut-être qu'il avait compris qu'un scandale ne fait pas un destin. Bien des scandales artistiques ou littéraires n'ont été que des pétards mouillés. Inversement, des œuvres, qui n'ont pas forcément fait beaucoup de bruit à leur apparition, n'ont pas cessé de nous surprendre ensuite, de surprendre chaque génération l'une après l'autre. Des parties entières n'en avaient pas été lues, ou vues, ou saisies dans l'instant, et avaient besoin de temps pour s'épanouir, comme ces fleurs de papier qui mettent du temps à se déplier dans l'eau. C'est peut-être le propre de la grande œuvre que d'être une bombe – une série de bombes – à retardement. Elle est en avance, non parce qu'elle s'est prétendue telle à grand tapage, mais parce qu'elle l'est réellement. Contrairement à l'œuvre d'avant-garde autoproclamée, la grande œuvre est déjà là, parmi les autres, parmi nous, obscure encore, comme un agent secret « dormant » attendant d'être « activé ».

Et puis la grande œuvre n'est pas surprenante une fois, une seule fois, mais tout le temps, du moins de plus en plus. Elle est familière et inattendue comme un être aimé après des années de vie commune. On croit la connaître et elle surprend encore, révélant une facette d'elle-même qui était restée dans l'ombre ou qui y était retournée. Ainsi, la grande œuvre est celle du plus grand plaisir, car le plus grand plaisir est peut-être de jouir de quelque chose de déjà connu et d'encore surprenant, d'être dans une situation de soif heureuse. Je fais ici allusion à ce que Sartre dit de la soif dans *L'Être et le Néant*, quand il remarque qu'« il n'est pas exact qu'une soif tende vers son anéantissement en tant que soif »[1], et au commentaire qu'en fait Nicolas Grimaldi dans son *Ontologie du temps* : « ... Ce que désire la soif, écrit ce dernier, ce n'est plus de ne pas avoir soif, mais au contraire de commencer à boire, de

1. Jean-Paul Sartre, *L'Être et le Néant*, Paris, Gallimard, 1943, p. 145 [p. 140 dans la collection « Tel »].

boire *déjà* en ayant *encore* toute sa soif en soi comme un vierge avenir[1]. »

Liée ontologiquement à l'œuvre d'art, la surprise peut lui être liée stratégiquement. Non plus comme fin mais comme moyen. Car, à sa modeste ou immodeste échelle, l'œuvre d'art doit résoudre le problème de la réalité tel qu'il se pose dans un système métaphysique comme celui de Berkeley – où, comme on sait, « être, c'est être perçu ». Elle requiert, face à elle, une conscience active, du moins éveillée. Ses ennemis sont l'indifférence et l'assoupissement. D'où le recours à la surprise, aux coups – coup de timbale ou coup de théâtre. Il faut relancer l'attention.

On peut le faire par la profusion – c'est le côté feu d'artifice : on croit chaque fusée la dernière, mais non, il y en a une autre qui monte plus haut, qui éclate en gerbe plus magnifique, c'est le bouquet. Certains romans sont ainsi, beaucoup de romans, en fait – car si le roman est la forme littéraire la plus increvable, c'est que c'est, avec le journal, la plus libre, c'est qu'on ne sait jamais quel type de choses on y trouvera. C'est une pochette-surprise. En musique aussi, cela peut se rencontrer : l'attestent des œuvres comme celles

1. Nicolas Grimaldi, *Ontologie du temps. L'attente et la rupture*, Paris, PUF, 1993, p. 195.

de Costin Miereanu, de forme « accidentée », labyrinthique, avec pièges et « tapis volants ».

Dans les formes simples, on peut relancer l'attention par la distraction, la rupture, la brusque insertion d'un élément hétérogène ou inattendu. Ce sont les *machines*, comme dans les pièces de théâtre du XVIIe, les opéras du XVIIIe, le Grand Guignol du XIXe ou, aujourd'hui, les trucages électroniques dans les films d'Hollywood. On peut aussi, plus simplement, pour éviter qu'une conférence soit trop ennuyeuse, faire circuler, comme le Prométhée mal enchaîné de Gide, des cartes postales licencieuses. Ou bien... mais soyons performatif !

Ici, dessin ou photo de l'auteur soufflant dans un mirliton.

Parmi les procédés plus sérieux et moins furtifs destinés à captiver, pensons au suspense ou au gag. Le suspense est une façon d'insérer brusquement la durée réelle dans la structure d'un récit qui fonctionnait jusque-là à l'économie, c'est-à-dire à l'ellipse. Le suspense, c'est : attention, ralentissement, on ne saute plus rien, chaque seconde compte, vous allez en baver mes gaillards (on remarquera que c'est également le procédé de certains auteurs qui n'ont même pas l'excuse d'écrire des polars ; on est alors du côté de l'ennui ou de l'épreuve de force).

Le gag, lui, appartient à l'espèce des « effets

comiques », c'est-à-dire des phénomènes produits dans l'intention délibérée de faire rire. Mais, contrairement aux variétés simples de cette espèce, comme les chutes, les grimaces ou les tartes à la crème, c'en est une variété complexe, qui peut mettre en jeu des éléments psychologiques ou sociaux, et relever de procédures subtiles et articulées. « Articulées », car le gag prend du temps : il se prépare. En réalité, comme dans ce que Bergson appelle « l'interférence des séries »[1] et dont le quiproquo est un excellent exemple, il a la même structure que le hasard selon Cournot (« la rencontre de phénomènes qui appartiennent à des séries indépendantes dans l'ordre de la causalité[2] »), mais c'est un hasard assisté – ô combien ! – avec une causalité trop bien huilée, plus parfaite que dans la réalité. Le hasard, explique Bergson, « c'est le mécanisme se comportant comme s'il avait une intention[3] », c'est-à-dire que c'est un déterminisme qui a des airs de finalité ; le gag, au contraire, c'est une finalité qui se donne, avec notre complicité ravie, des airs de déterminisme. Et c'est aussi une syllepse, c'est-à-dire un élément qui peut être simultanément

1. Henri Bergson, *Le Rire – Essai sur la signification du comique,* Paris, Alcan, 1900, p. 75.
2. Antoine-Augustin Cournot, *Matérialisme, vitalisme, rationalisme* [1875], Paris, Hachette, 1923, p. 219 *sq.*
3. Henri Bergson, *Les Deux Sources de la morale et de la religion*, Paris, Alcan, 1932, p. 55.

perçu comme partie de deux ensembles différents.

C'est ici qu'intervient la rhétorique. La surprise a partie liée avec la rhétorique. Pas de rhétorique sans surprise. Elles jouent entre elles à cache-cache. Les figures de rhétorique, en principe, sont destinées à épicer, à relever la phrase par quelque chose d'inattendu. Par exemple la métaphore. Mais il y a des cas où la métaphore est si convenue – il y a même des cas, ce sont les catachrèses, où elles sont si inévitables (« le pied de la chaise ») – qu'il n'y a plus aucune surprise. Reste la syllepse, qui, en dédoublant la catachrèse, en la rendant bifide comme une langue de serpent, en réveillant le sens premier sous le sens second, surprend et fait sourire (« la chaise me faisait du pied » ou voyez Boris Vian).

Cela dit, y a-t-il une rhétorique de la surprise : des traits propices à surprendre en donnant du plaisir ? On peut le penser. Si je me risquais à l'esquisser, j'y distinguerais d'abord le détournement ou le retournement d'expressions toutes faites, proverbes ou citations célèbres. Exemples du surréaliste belge Louis Scutenaire :

> J'ai plus de souvenirs que si j'avais Turin.
>
> Prolétaires de tous les pays, je n'ai pas de conseils à vous donner.
>
> Quand j'entends le mot culture, je vois des champs, des bœufs, une alouette, une belle fermière [1].

1. Extraits respectivement de : Louis Scutenaire, *Mes*

Viendraient ensuite le paradoxe et même, très fréquemment chez Giraudoux, ce qu'on pourrait appeler *le double paradoxe*, comparable à ces figures compliquées des barres parallèles ou du patinage artistique – « double axel avec rétablissement au sol » – au terme desquelles on retombe impeccablement sur ses pieds :

> *[Dans le fameux* lamento *du jardinier d'*Électre *face au public]* C'est ma nuit de *noces* que je passe ici, tout *seul* – merci *d'être là.*
>
> *[À propos de Racine]* Il est satisfaisant de penser que le premier écrivain de la littérature française n'est pas un moraliste, ni un savant, ni un général, ni même un roi, mais un homme de lettres[1].

Mais ce qui provoque la surprise, c'est le plus souvent l'autosabotage, le ratage volontaire. De la contradiction interne des signifiés au brusque emballement du signifiant, c'est une tendance fondamentale de l'humour, du moins de ce qu'on pourrait appeler l'humour blanc (comme on dit « mariage blanc » pour désigner un mariage non consommé, ou « voix blanche »

inscriptions I (1943-1944), Paris, Gallimard, 1945 ; *Mes inscriptions II (1945-1963)*, Bruxelles, Isy Brachot et Tom Gutt, 1976, et *Mes inscriptions III (1964-1973)*, Bruxelles, Brassa, 1981 ; repris dans : Raoul Vaneigem, *Louis Scutenaire*, Paris, Seghers, coll. « Poètes d'aujourd'hui », 1991, pp. 101, 123 et 154.

1. Jean Giraudoux, *Électre* et *Littérature* [1941], Paris, Gallimard, coll. « Idées », 1967, p. 21. C'est moi qui souligne.

pour qualifier une voix faible, sans éclat, presque inaudible).

(Ici, sauf à répéter, je ne peux que me taire, frustrer le lecteur ou le renvoyer, s'il est très curieux et très bienveillant, à un autre livre [1].)

De telles surprises sont parfois bien enfantines. Il faut revenir à l'idée du sage. Il y a d'autres façons d'être face à l'œuvre d'art – d'autres attentes esthétiques – que celle de l'enfant qui monte dans le train fantôme et attend qu'on lui fasse peur. Il y a d'autres romans que les romans policiers, d'autres films que ceux d'Hollywood, d'autres musiques que celles qui comportent, comme la *94*^{e} de Haydn – mais multiplié cent ou mille fois –, un brusque coup de timbale « pour réveiller les vieilles dames » (ou exciter les jeunes messieurs). L'idée de contemplation – de contemplation active – peut retrouver ici un rôle. Elle n'exclut pas nécessairement celle de surprise – mais à condition de la transcender. Ou, pour dire cela autrement, elle s'accommode moins de la surprise que de l'étonnement (quitte à appeler « étonnement » une sorte atténuée et durable de surprise, une surprise infiniment dilatée). En celui qui contemple, deux étonnements sont alors face

1. Dominique Noguez, *L'Arc-en-ciel des humours – Jarry, Dada, Vian, etc.*, essai, Paris, Hatier, coll. « Brèves littératures », 1996. À reparaître en Livre de poche *essais*.

à face. L'étonnement incessant d'exister, d'être un « je suis », un « je pense », un « je sens » – conjugué à l'étonnement incessant que quelque chose soit plutôt que rien, et que ce soit *cela*. Alors peut commencer la contemplation infinie et paisible. Comme la soif heureuse dont nous parlions tout à l'heure : soif toujours brûlante et toujours déjà apaisée, dans l'attente douce d'une surprise qui ne peut plus venir.

10

LE PLAISIR DES MOTS

> Rouerie de ceux qui disent : « Appelons un chat un chat ! » (...) C'est une déclaration de guerre. Car chaque chose, chaque homme, chaque action prospère sous un faux nom (par exemple, cette franchise assassine se prétend simple droiture). Et appeler les choses par le nom qu'elles méritent, c'est renverser la société.
>
> Tony DUVERT
> (*Abécédaire malveillant*,
> article « noms »)

Où l'on va voir, preuves à l'appui, que l'on peut prendre plaisir ou déplaisir aux mots comme aux mets. Tout dépend de la manière dont on les accommode.

Deux façons, d'abord, de les distinguer. Pour les éliminer ou pour les promouvoir. Types de mots qu'on veut supprimer : Marinetti les adjectifs et les formes verbales autres que l'infinitif, vitesse oblige ; Léautaud les conjonctions de coordination « mais » ou « or ». Tel autre, ce seront les adverbes en « ment ». Tel autre encore, les « qui » et les « que ».

Le cas inverse, ce sont les mots rares que l'on utilise avec gourmandise, au risque de n'être lisible qu'avec un dictionnaire. Tel ce jeune écrivain japonais à la mode (en 1999) à qui l'on reproche d'utiliser des kanjis[1] inconnus du plus grand nombre et qui se vend pourtant à des centaines de milliers d'exemplaires. Dans le même genre : *À rebours* de Huysmans, où l'on trouve : « chrysobéryls », « cymophanes », « saphirines », « éréthismes », « schnouda », « émulsines », « strigiles », « aunait » ou « aulique ». Le nom commun y prend des allures de nom propre et frôle l'hapax.

Parant ainsi sa phrase comme une belle orne ses doigts d'améthystes ou de lapis-lazulis, l'écrivain découvre là un premier plaisir des mots – celui, presque, du collectionneur. Ce plaisir s'observe particulièrement chez les poètes (et particulièrement chez les symbolistes), mais pas seulement. Par exemple le plaisir des noms de lieux – cette griserie de l'ouïe, cette sentimentalité géographique, la seule forme excusable du patriotisme –, évident chez Péguy...

> Cent vingt châteaux lui font une suite courtoise,
> Plus nombreux, plus nerveux, plus fins que des
> [palais.

1. En japonais, caractère d'origine chinoise. Il y en a des milliers de différents.

> Ils ont nom Valençay, Saint-Aignan et Langeais,
> Chenonceaux et Chambord, Azay, le Lude, Amboise.

... ou chez Aragon – Aragon défait, abattu, écrasé comme des millions de Français sous l'Occupation et retrouvant des raisons d'espérer et de résister dans cette litanie de mots évoquant chacun en surimpression des milliers de toits, de ruisseaux, de visages :

> Adieu La Faloise Janzé
> Adieu Saint-Désert Jeandelize
> Gerbépal Braize Juvelise
> Fointaine-au-Pire et Gévezé

... donc ce plaisir des « noms de pays » se trouve aussi chez Proust, justement :

> Même au printemps, trouver dans un livre le nom de Balbec suffisait à réveiller en moi le désir des tempêtes et du gothique normand ; même par un jour de tempête, le nom de Florence ou de Venise me donnait le désir du soleil, des lys, du palais des Doges et de Sainte-Marie-des-Fleurs.

... ou encore chez Giraudoux ou chez Sartre.

Mais – pardon, Léautaud ! – pour les poètes surtout, ce plaisir du mot se double d'un autre : le plaisir du rythme et des allitérations, qui n'est pas limité à un mot seul, qui porte sur le vers ou sur des nappes de vers, qui est musical et émotionnel à la fois. Nous abritons tous en nous de ces beaux vers sus par cœur que nous considérons comme les plus admirables de notre langue et de quelques autres. Le plus beau de tous ? L'exercice a été souvent proposé. Pour Théophile Gautier, c'était le vers de *Phèdre* :

> La fille de Minos et de Pasiphaé.

Et pour vous ? Pour moi, c'est également Racine ...

> Je ne t'ai point aimé, cruel ? Qu'ai-je donc fait ?

... ou bien

> Je le vis, je rougis, je pâlis à sa vue.

... mais aussi Virgile, Du Bellay, Marlowe, La Fontaine, Apollinaire, Rilke, Ungaretti – le plaisir de (ré)citer est sans fin !

> *Te, dulcis conjux, te solo in littore secum,*
> *Te veniente die, te decedente, canebat.*

> Et les Muses, de moi, comme étranges, s'enfuient.

> *Stand still, you, ever-moving spheres of Heaven,*
> *That time may cease and midnight never come.*

> L'onde était transparente ainsi qu'aux plus beaux [jours ;
> Ma commère la carpe y faisait mille tours,
> Avec le brochet son compère.

> Voie lactée ô sœur lumineuse
> Des blancs ruisseaux de Chanaan

> *O und die Nacht, die Nacht, wenn der Wind voller [Weltraum*
> *uns am Angesicht zehrt ...*

> *M'illúmino*
> *d'immenso*

Il n'est pas dit, chez Racine particulièrement, que l'émotion du sens n'entre pas dans cette séduction en proportion au moins aussi grande que la musique des phonèmes. Mais en gros on reste dans l'immanence – je veux dire au niveau des signes, non des réalités.

Autre chose le phénomène de « bien-parlance » né voici une décennie sur les campus américains et, depuis, faisant auréole. Ceux qui s'y adonnent *transcendent* comme des bêtes – ou comme des sorciers lançant leurs formules magiques pour arracher aux nuages la grâce d'un peu de pluie ou pour terrasser à distance un ennemi.

Dès l'origine, en effet, le « politiquement correct » est plus qu'une affaire de rhétorique. C'est un phénomène d'allergie fondé sur la croyance ou la quasi-croyance (de type effectivement magique) que les mots sont les choses : féministes ne supportant plus le masculin (pourquoi dit-on d'une femme qu'elle est « *un* être humain » ? mais elles oublient qu'un homme peut-être « *une* personne » ou « *une* âme »), anticolonialistes craignant de dire « nègre, négresse » (comme disaient pourtant Buffon, Baudelaire ou même Sartre), gens de cœur ne supportant plus qu'on appelle un chat un chat et un sourd un sourd.

Le politiquement correct, comme le franglais ou la manie des néologismes, c'est la peur de ce que nous livre l'histoire : des mots qui ont déjà servi et ont fini par avoir bien des sens. Donc, on préférera « *broker* », que les initiés seuls comprendront, à « courtier », que tout le monde connaît mais qu'on risquerait de confondre avec « courtier d'assurances ». (Pourtant, en anglais, « *broker* » est aussi imprécis que « courtier » en français.) C'est la peur de la polysémie, le goût, lié peut-être à la société de consommation, du neuf à tout prix. (Or les mots sont toujours d'occasion.) À l'extrême, c'est l'exergue des *Fleurs de Tarbes* de Jean Paulhan : « Comme j'allais répéter les mots que m'apprenait cette aimable indigène : “Arrêtez ! s'écria-t-elle. Chacun ne peut servir qu'une fois...” »

À la limite, plus un mot du tout ! C'est parler qui est incorrect, du moins imprudent. Le *feeling, man !* se voir, se toucher, voilà ce qui compte.

À défaut, au nom d'une version pathologique de la démocratie à la sauce américaine, c'est-à-dire puritaine et communautariste, où chaque « communauté » – celle, mettons, des tireuses à l'arc portant un prénom en « zette », ou celle des vendangeurs homosexuels blonds ayant une verrue sur la joue gauche – a droit à un quota de respectabilité, à une part chiffrée d'avantages, c'est la recherche éperdue de l'euphémisme, de l'égalité dans l'ordre des signifiants à défaut de l'égalité dans celui des signifiés. Comme c'est aussi la perte du sens de la métaphore ou, plus largement, de la *figure* et qu'on prend tout au pied de la lettre, on avance pied à pied, précautionneusement, longuement. On substitue la définition au mot, la périphrase au terme unique. Mentalité de diplomate, de congressiste rédigeant une motion de synthèse. Pas un mot plus haut que l'autre. Pas un être inférieur à un autre, voire différent d'un autre. Le modèle du « politiquement correct », c'est cette histoire que racontait Duras (au troisième degré) avec l'accent adéquat (c'est un Africain qui parle) : « Ne dites pas *un aigle* [un nèg'], dites *un oiseau de couleu'* ! » De même, on ne dira bientôt plus « unijambiste », mais (j'invente) « individu ayant un nombre impair de jambes » ; ni « vieille », mais « femme chronologiquement avancée ». Manière de préciosité. Or l'inverse est vrai aussi, la dépréciation. La honte de soi remplaçant l'égalitarisme ou la pitié. L'euphémisme se change alors en dysphémisme.

Par exemple, « puissance moyenne » appliqué avec jubilation à la France par certains éditorialistes. L'expression, on s'en souvient, fut lancée par Giscard. Il l'affectionnait, elle lui allait bien – tant il est vrai qu'on voit midi à sa porte. Or elle est moins l'expression d'une précision chiffrable que d'un choix politique. « Moyen » veut en réalité dire ici « décadent », « désormais incapable de grandeur et d'autonomie », « voué aux allégeances et à la soumission ». C'est le mot du mépris. Non tant du mépris de soi que de ses compatriotes, tenus, quoi qu'ils fassent et quelle qu'ait été leur histoire, quels que soient leur avenir, leur dynamisme et leur créativité, pour fondamentalement inférieurs à la seule « grande puissance » qui vaille, à la seule qu'on vénère, celle à laquelle on s'assimile fantasmatiquement et à l'aune de laquelle on juge de tout, les États-Unis. Dans ce répertoire, on rencontre aussi « hexagonal », « franco-français », « franchouillard ». Et nos amis les Italiens ont « Italietta ». C'est toujours le complexe du bourgeois gentilhomme : membre d'une communauté pourtant robuste ou en pleine ascension qui s'assimile par aveuglement à une communauté qui va, si cela se trouve, bientôt décliner. Bref, un défaitiste doublé d'un crétin.

Peur de blesser autrui ou peur d'être soi, on le voit, le « politiquement correct » suppose toujours un gros surmoi – un père Fouettard éternellement tapi dans le for intérieur. Ce n'est plus le plaisir, c'est le déplaisir des mots.

Mais le pire, c'est quand les signes le cèdent tout à fait à ce qu'ils désignent. On n'a plus peur seulement des mots mais des idées mêmes. Bordé, *traqué*, de tabous et d'un protéiforme impensé, on entre alors dans le champ de mines de la bien-pensance. Et l'on finit par sauter.

11

SCANDALISER

Il n'est pas sûr que le scandale soit un but qui vaille pour un artiste ou un écrivain. Ou alors à son corps défendant. Si c'est la seule solution qui reste – non pour *faire passer un message*, chose bien présomptueuse, mais pour faire perdre de leur superbe à ceux qui croient en avoir un. Jouer alors les poissons torpilles, comme Socrate, ou les méduses, les scolopendres, le vitriol, le sel, le poil à gratter, la poudre à éternuer (métaphore au choix, selon tempérament).

*

Comment peut-on scandaliser aujourd'hui ? Plus guère avec la passion amoureuse, encore moins avec le sexe[1]. Là-dessus, comme dirait l'autre, « tout est dit ». Reste au mieux à décrire

1. *Note sisyphéenne* : au moment où j'écris ces lignes, je lis dans un quotidien du matin qu'une artiste polonaise

quelques pratiques périphériques ou qui ratent (voir ci-dessous). Quant au détail de chacune des plus avérées (genre : poirier japonais, demi-salto à la turque, reptation vaticane, Noël dans les chaumières...), les livres de X ou Y (du XVIIIe siècle à nos jours) sont très complets.

Ou alors, donnez les noms.

(Comme Bayon, par exemple, publiant il y a vingt ans dans *Libération*, sous le pseudonyme de VXZ 375, un article intitulé « Comment j'ai enculé Pacadis », nom d'un autre collaborateur du journal.)

*

Car donner le vrai nom des gens, des lieux, des marques est provisoirement encore un peu tabou, certains procès récents l'attestent (affaire dite du « camping mystique » à propos des *Particules élémentaires*). Pour ce qui est des gens, je risquerai que c'est Arthur Cravan qui a montré l'exemple en racontant vers 1913 une visite à André Gide qui n'avait probablement pas eu lieu.

invitée à la Biennale de Venise fait scandale dans son pays à cause d'une vidéo où elle est filmée avec un pénis postiche. Il y avait eu aussi l'affaire de *L'Origine du monde* de Courbet reproduit sur la couverture d'un livre de Jacques Henric. Et bien d'autres encore. Il est vrai qu'il s'agit de représentation plastique, non de description écrite. Mais en cherchant bien... Comme dirait le préfacier d'*Histoire d'O*, mettons donc que je n'ai rien dit.

Comme la tendance à croquer les êtres tout vifs dans les fictions se développe et que l'américanisation est ce qu'elle est, on peut gager qu'à l'instar de ce qui se passe outre-Atlantique un peuple d'avocats sans causes y trouvera bientôt matière à procès. Et, comme le pire est sûr, ils les gagneront. D'où censures et autocensures. Voyez déjà à la télévision, par peur du papier bleu, cette prolifération des caches ou du flou sur les visages. On reviendra aux initiales et aux *** du XVIIIe siècle. Aujourd'hui, on peut encore écrire : « Notre héros entra à la Closerie des Lilas et aperçut Philippe Sollers buvant une Suze avec Régis Debray. » Bientôt, il faudra écrire : « Notre héros entra à *** et aperçut X buvant une boisson sucrée avec Y. »

On dira qu'il n'est pas nécessairement plaisant d'apparaître dans les livres des autres. Mais s'il s'agit clairement d'une fiction ! Il faut en prendre son parti comme les hommes politiques prennent le leur des *Guignols de l'info.* Si par contre l'auteur prétend dire la vérité, on entre dans le cadre des lois sur la presse : droit de réponse et procès en diffamation peuvent en principe corriger les médisances les plus graves.

*

Cela dit, même si vous travaillez à l'ancienne, sans donner de noms réels, sans penser à personne en particulier, vous n'éviterez pas les fous ou les folles qui se voient partout, dans tous les personnages de tous les romans et qui se reconnaîtraient dans la description d'un trou de gruyère par un conteur moldovalaque.

*

Scandaliser vraiment ? Il suffit peut-être de se laisser aller, de dire ses « mauvaises pensées ». Ce fut, il y a peu, l'intention de Renaud Camus, désireux, qui sait ? de voir jusqu'où on peut aujourd'hui *aller trop loin* (puisque ses *Tricks*, qui avaient naguère pu donner des sueurs froides, ou tièdes, sont en passe de devenir un classique qui sera bientôt étudié dans les classes). *Ombre gagne* se voulait un « discours en roue libre », toutes les « idées », même les plus « niaises », « banales », « imbéciles », « odieuses » ou « criminelles » y ayant droit de cité (quitte pour l'auteur à les repousser fermement ensuite). Le manuscrit fut refusé par tous les éditeurs. Une partie en parut cependant dans *L'Infini*. On y lisait, entre autres, des duretés sur le côté « bonnes » (bonnes d'enfants) des Français. Cela me parut, pour ma part, une suite à Rimbaud (« Marchand, tu es nègre ; magistrat, tu es nègre ; général, tu es nègre ; empereur, vieille démangeaison, tu es nègre... »). Un côté Léon Bloy, également.

Ce n'était peut-être aussi, chez cet auteur de journal, qu'une façon de pousser à l'extrême ce qui est vrai d'un peu tous les journaux intimes –

qui sont les infirmeries du moi. En s'y soulageant, on s'expose à paraître peu sympathique, radoteur, aigri, pusillanime (voyez Léautaud). De là le courage ou le masochisme des auteurs qui publient le leur de leur vivant. Le plus scandalisé, au bout du compte, c'est souvent l'auteur lui-même, quand il se relit.

*

Un ancêtre mythique : *Mes poisons*, les carnets posthumes de Sainte-Beuve (qui donne les noms mais ne publie pas). Est-ce que cela scandalise ? « Si l'on se mettait à se dire tout haut les vérités, écrit-il, la société ne tiendrait pas un seul instant ; elle croulerait de fond en comble avec un épouvantable fracas... » Et, plus loin : « Quand on arrive à une certaine note de vérité, on offense les gens jusqu'à les faire crier : ils vous lapideraient, s'ils pouvaient. » Les intéressés peut-être, mais les autres (nous) ? Ravis, en général. Exemples des « vérités » de Sainte-Beuve : Alexandre Dumas est « un esprit de quatrième ordre », Lamartine « le plus charmant des sots », Gustave Planche exhale une « infection immonde », Mme Ancelot, « rance et mielleuse », lui fait « l'effet d'un vieux sirop jaune oublié depuis longtemps dans sa fiole », Cuvillier-Fleury « a une certaine ignobilité de visage et d'esprit », Alfred Michiels est « un pourceau qui court au gland », Eugène Pelletan « est entré dans la littérature comme une fouine se glisse dans un cloaque ».

*

Scandaliser vraiment *(bis)* ? Même pas nécessaire d'être écrivain. Il suffit d'entrer dans le débat politique et d'employer un de ces mots (provisoirement) rendus tabous par ce qu'on appelait naguère l'idéologie dominante ou la *doxa*. Comme ceux qui, dans les fax, les conversations de portables ou les messages d'Internet contrôlés par les « oreilles » anglo-américaines de la NSA dans le nord de l'Angleterre, déclenchent désormais l'enregistrement et l'écoute du message, ils vont provoquer les représailles rhétoriques des chiens de garde de la bien-pensance, dans les tribunes libres de tel ou tel quotidien. Mots-chiffons rouges. Mots d'ordre brusquement déchus, euphémismes brusquement promus. Exemples (par ordre alphabétique et sans trop chercher) : « jacobin », « libéralisme », « mondialisation », « nation », « sans-papiers ».

Représailles rhétoriques ? Elles sont devenues sommaires, se ramenant toutes à l'increvable amalgame. Il faudrait presque redonner à ce mot le sens qu'il a pour les dentistes, tant y éclate, en effet, l'intention de *plomber* autrui. Inutile de discuter, de nuancer, d'argumenter ; il ne faut plus qu'alourdir, défigurer, empêtrer l'autre d'une prétendue parenté qui, de sophisme en injure, le propulsera dans l'enfer stalinien ou nazi (ou les deux). « Si ce n'est toi, c'est donc ton frère », « si ce n'est ce que tu dis, c'est ce qu'*au fond* tu penses », etc. On peut préférer des périodes historiques où le débat intellectuel était plus relevé.

*

Une façon proprement littéraire (ou artistique) de scandaliser ? Oui, il y en a une. Qui change selon les générations (celle de Balzac n'est pas la même que celle de Restif, celle de Céline pas la même que celle de Zola, celle de Houellebecq pas la même que celle de Sartre), mais qui relève du même geste. Être réaliste. Montrer ce qu'on ne montrait pas. Trêve de rhétorique : désacraliser, laïciser, ne plus mettre les formes. Ne plus *se la jouer*. Ne plus dorer les pilules. Décevoir. La réalité a les seins plats, ou flasques. Le dire. Tallemant des Réaux raconte que le poète Desportes et son protégé le cardinal du Perron gagèrent un jour « à qui ferait la plus grande impudence » : « Le soir, écrit Tallemant, le Cardinal dit à des Portes : “J'ai mis mon... tout bandé dans la main à une dame. – Et moy, dit des Portes, je l'ay mis tout mou.” Ainsi il gaigna. » C'est cela. Le scandale, c'est le mou. C'est de montrer le mou, d'expliquer le mou, le désossé, le décérébré, ce qui rate. En littérature, soyez un dur : écrivez mou.

12

LES REVIES DE MA VUE

Revue (faire une)

Au nombre des symptômes hélas les plus avérés de la graphomanie précoce (maladie qui consiste à vouloir devenir écrivain, souvent inoculée par des professeurs de lettres trop zélés dont l'espèce est heureusement en voie de disparition) figure le désir de faire une revue. L'auteur de ces lignes en fut atteint vers onze ans, au bon lycée Corneille de Rouen, après la vision de *Quo vadis ?* grand péplum hollywoodien. Avec trois bambins de son âge, dont l'un se prenait pour Néron, le deuxième pour Pétrone, le troisième pour Lucain, tandis que lui-même se voyait bien en Sénèque, il se mit à écrire des vers et à vouloir en faire profiter les populations ébahies. Les (rares) abonnés (parents captifs et élèves rançonnés) ne perdirent pas tout, car la revue eut au moins cinq numéros. *L'Azur* était tiré à une centaine d'exemplaires grâce au bon vieux procédé de la polycopie à la gélatine (encore utilisé aujourd'hui pour leurs menus par certains restaurants de tradition). Les couvertures étaient coloriées une à une au crayon de couleur (nous y passions nos dimanches). Il y avait même des mots croisés. Le docteur de la famille diagnostiqua chez l'artiste une tendance à l'hyperthyroïdie.

Revue (militaire)

L'auteur a attendu l'âge (presque) mûr pour assister à sa première, lors d'un 14 Juillet mitterrandien, dans une tribune réservée aux municipalités de banlieue, grâce à un ami chef de cabinet d'un maire.

Revue (être abonné à une)

Ce fut l'un des plaisirs de la khâgne. Une bourse d'IPES permit l'abonnement successif à *Arguments* (directeur Edgar Morin) et aux *Cahiers de la République* (directeur Pierre Mendès France). Pour être tout à fait exhaustif, il y avait eu un abonnement à *Cœur vaillant*, puis à *Mickey,* puis à *Tintin* bien des années auparavant, mais étaient-ce des revues ? et, les deux dernières, c'est la grand-mère qui payait.

Revue (à l'École normale)

Quand l'auteur intégra la rue d'Ulm, l'usage de la revue-spectacle – où s'était illustré le jeune

Jean-Paul Sartre déguisé en Gustave Lanson – avait disparu. Peut-être parce que la revue avait en fait lieu tous les jours, chaque élève étant gravement déguisé en lui-même. Seul Althusser redonna un peu de vie à l'École en tuant sa femme.

Revues (érotiques)

Trop long à raconter. Ce sera pour une autre fois.

Revues
(découvrir par hasard une collection de)

Plaisir violent qui arriva deux fois au moins à l'auteur dans des maisons étrangères : une première fois à treize ans chez des cousins espagnols (*Marie-Claire*), une seconde fois en 1968 à Magagnosc chez une amie (*La Parisienne*, revue des « hussards » des années 50). La première, c'était la découverte de la vraie vie (celle où l'on apprend à faire la cuisine et à choisir un caban *sympa*), la seconde, en plein temps d'ultragauche, celle de l'insolence dite de droite.

Il y eut aussi, bien sûr, de vieux numéros de la *NRF*, dans les chambres de Cerisy ou du Moulin d'Andé : surprise à y trouver des débutants qui sont devenus célèbres. Grenouilles devenues princes charmants – ou aussi grosses que des bœufs. Tout le monde a écrit, écrit ou écrira dans la *NRF*.

Revues (utilité des)

Elles ont leur propre temporalité, qui recoupe parfois celle des livres, jusqu'à constituer l'essentiel de la vie littéraire (la *NRF* vers 1930, *Tel quel* vers 1965), mais qui, le plus souvent, reste parallèle et marginale. Dans tous les cas, de toute façon, les revues donnent du recul par rapport à la *doxa*.

Elles offrent à ces êtres à l'ego sensible, fragile, voire exacerbé ou malade que sont les écrivains l'occasion d'apprendre la coexistence pacifique avec les autres ego. Avec leurs critiques, notes et notules sur d'autres auteurs, ou la simple présence de ces autres auteurs, elles permettent à chacun de ne pas oublier que la poésie est faite « par tous, non par un », qu'il a des voisins et que la littérature est toujours métalittérature, toujours lecture d'autrui, toujours critique.

Elle met (un peu) à l'abri de la précipitation et de l'ambition sociale. Elle est dans l'ironie, comme Musil au début de *L'Homme sans qualités*, envers une époque où les médias osent parler de « cheval de course génial ».

Écurie ? En tout cas, elle est un sas, un club, une antichambre, un laboratoire, un purgatoire.

Revue (lire et classer une)

Par rapport au livre, la revue induit un régime différent de lecture et de classement dans la bibliothèque. On lit ou on ne lit pas un livre. Une revue n'est presque jamais complètement lue. Il y a, comme d'un citron, toujours quelques gouttes encore à en tirer. Certes, un livre peut être seulement commencé. Mais la revue, c'est différent : elle n'est jamais finie. Une deuxième ou une troisième, une énième vague de lecture est toujours possible en fonction des besoins, des circonstances. C'est un investissement ouvert, inépuisable.

Quant au classement, la disparité des thèmes et la pluralité des auteurs empêchent toujours de le faire par ordre alphabétique des noms et, souvent, en fonction d'un genre précis. Elles obligent à ne l'acoquiner qu'à elle-même ou à d'autres revues, à faire un rayon spécial.

Revue (écrire dans une)

Il semble que ce soit plus désirable, plus urgent et surtout plus à portée de la main que d'écrire un livre ou d'écrire en général. La revue est au livre ce qu'une belle personne facile, voire vénale, est à une belle personne tout court (plus difficile, évidemment) – ou plutôt, pour garder à ces notules leur quant-à-soi, ce qu'un tour d'autos tamponneuses est à une traversée de Paris en voiture à une heure de pointe. L'idéal : écrire dans les revues qu'on aime pour en gagner l'abonnement gratuit.

Revue (diriger une)

Pour être très franc, cela ne garantit même pas qu'on en lise tous les articles. Pour cela, il y a les correcteurs – et encore ! Il existe probablement des numéros de revues que personne n'a jamais lus en entier, pas même leurs prétendus *auteurs*.

Revue (être de la)

Ça oui, sacrément.

13

MES LIVRES DE CHEVET

Il y a actuellement quatre-vingt-dix-huit volumes sur ma table de chevet, répartis en quatre piles inégales. Livres commencés l'un après l'autre et attendant pour être achevés le miracle d'un peu de temps. Le plus récent (et le plus gros) : les *Cahiers* de Cioran.

Mais mon vrai livre de chevet n'est pas là. Il est, en cinq ou six éditions (dont une du XVIIIe siècle), présent dans plusieurs endroits de l'appartement. Ce sont les *Essais* de Montaigne. C'est bien le diable si je ne les ouvre une ou deux fois par mois, au hasard ou avec la téméraire idée de les reprendre *in extenso* depuis le début ou depuis le livre III, que je préfère et dont le chapitre premier commence par *« Personne n'est exempt de dire des fadaises. Le malheur est de les dire curieusement »* (il veut dire : avec sérieux).

C'est mon viatique, ma friandise du soir, mon bâton de jeunesse, ma potion. J'y trouve réponse à tout, apaisement à tout. Sagesse et sourire.

Après cela, tous les autres – ceux des piles –, Isherwood ou Lichtenberg, Keats ou Koyré, Musil ou Pierre La Police, viennent à leur heure, comme d'aimables suppléments ou des mises à jour.

14

ÉCRIRE UNE LETTRE

Ici ou là, mars-avril 2000

Cher X,

Jadis, j'adorais écrire des lettres. Moins, aujourd'hui. Je vais cependant me faire une douce violence pour tenter de t'expliquer les raisons de cet attrait. Il tenait, je crois, à la nature même de ce type d'écrit. Qu'est-ce qu'une lettre, en effet ? Mille pardons, je ne jouerai pas sur les mots, je ne dirai rien de la lettre opposée à l'esprit, ni des lettres de l'alphabet. Je parlerai de la lettre au sens d'épître, *epistula*, épistole, pli, missive, message, dépêche, poulet. De la lettre – autre restriction, autre précision – non comme petit objet qu'on se transmet, comme matérialité (tablette de cire, papyrus, parchemin, papier quadrillé, que sais-je ?), mais comme contenu, du côté, donc, non de la face signifiante, mais de la face *signifiée*. Oui, qu'est-ce qu'une lettre ? Je vais te répondre mais veux encore préciser ceci : je t'écris ces mots en voyage (les plus belles lettres sont voyageuses), loin de Paris et de mes livres, revues, dictionnaires, de mon fonds théorique, de mes Chklovski, Jakobson, Barthes, Genette, Todorov, Lejeune et autres théoriciens de la littérature. Je t'écris donc ceci à pensée nue comme on dit à mains nues. Je suis à Châteauroux où le temps hésite entre le gris et le roux, où le couvent des Cordeliers résonne des derniers pas de l'après-midi, où lentement l'Indre coule entre les fleurs. Ma réponse est qu'une lettre, c'est d'abord un certain traitement du *destinataire*. D'ailleurs, ce mot par lequel les linguistes désignent l'un des pôles de l'acte de communiquer vient précisément du vocabulaire des postes et c'est l'indice sans doute que ce pôle n'est nulle part aussi clairement, aussi spectaculairement mis en scène que dans le cas de la lettre.

Il y est d'abord mieux circonscrit, sinon plus limité, que dans n'importe quelle autre sorte de texte. Une lettre, en principe, est destinée à *quelqu'un*, littéralement – je veux dire à *une* personne (il n'y aurait de plus limité, dans cet ordre-là, que le journal intime, s'il était vraiment intime, ce qu'il n'est quasiment jamais) – ; et, plus précisément, à quelqu'un *d'autre*, je veux dire différent de celui qui écrit (il n'y aurait également de plus limité, ici, que le journal intime *stricto sensu*, mais, même celui-là, ce n'est pas tant à soi-même, au soi-même immédiat, qu'on l'adresse qu'à cet *autre* qu'on sera « dans un mois, dans un an » et qui relira). Au moins égal à une personne, même inconnue (dans le cas des bouteilles à la mer), le destinataire de la lettre peut cependant parfois être supérieur en nombre : multiple, collectif ou démultiplié. Multiple (« chers parents », « mes chers petits », « mes toutes belles »), collectif (« lettre aux marchands de canon », « aux apothicaires », « aux hédonistes »...) ou démultiplié (une lettre, explicitement destinée à une personne, est lue par d'autres, sans d'ailleurs qu'il s'agisse d'indiscrétion : souviens-toi de ces lettres du XVIIe siècle qu'on lisait à haute voix, qu'on se faisait passer, qu'on recopiait, et le *destinateur* le savait d'avance ; faut-il calligraphier ici, comme un exemple ou un viatique, le nom de la divine Marquise ?).

Je m'empresse d'ajouter que, si large qu'il soit, le nombre de destinataires voulus d'une lettre est par essence limité : fût-elle « ouverte » à une catégorie giboyeuse d'individus, la lettre est aussi et d'abord, par définition, *fermée*. Il y a toujours une sorte de scandale à publier ce qui relève peu ou prou de l'intime. D'où, sans doute, la légère et délicieuse culpabilité qu'on éprouve quelquefois à lire une lettre imprimée dont on n'est pas le destinataire explicite (c'est en tout cas ce que je souhaite à ceux, s'il s'en trouve, qui liront la présente épistole en quelque sorte par-dessus ton épaule). Je t'écris cela d'Orléans : le ciel blêmissant est zébré de noir comme un Hartung, les oiselles et les oiseaux se sont tus dans les arbres, chacun s'apprête aux lassitudes du soir.

Retour au destinataire : à peu près circonscrit, sinon très limité, il est, deuxièmement, présent, très présent, présentissime, interpellé, nommé, cher X, pris à témoin, quand il n'est pas purement et simplement le roi de la fête, celui qu'on interroge, vitupère ou supplie. C'est ce que le bon Jakobson – et Bühler avant lui – aurait appelé une inflation de la fonction *conative.* Puisque nous en sommes aux fonctions – les trois de Bühler (émotive, conative et référentielle) ou les six de Jakobson (les mêmes, plus la phatique, la métalinguistique et la poétique) –, comment se répartissent-elles dans la lettre ? J'écris ces choses graves à hauteur d'Étampes, la mère de famille la plus proche de mon siège corail, dont le non-cloisonnement du wagon en compartiments ne me permet pas d'ignorer une seule seconde les initiatives pédagogiques, vient enfin de flanquer une mornifle à son insupportable mouflet, d'où hausse des décibels ambiants. Néanmoins, je réponds : même si le dosage entre elles peut varier d'une lettre à l'autre, les plus sollicitées sont l'émotive, la conative et la phatique (décidément, dirait-on pas du Molière ?), autrement dit celles qui concernent le destinateur, le destinataire et le contact entre eux. Car cette fatidique fonction phatique, par quoi l'on s'assure – ou fait mine de s'assurer – que le lecteur *suit* bien et n'est pas déjà parti se faire un grand bol de cacao ou se vautrer dans les œuvres complètes de la comtesse de Ségur ou de Jacques Lacan, est si peu négligeable qu'elle prend parfois toute la place et que certaines lettres ne sont qu'un immense « holà ! tu m'écoutes ? » ou un gigantesque « vous ne devinerez jamais ce que je vais vous dire ! ». La chère Marie de Rabutin-Chantal, dite de Sévigné, nous a d'ailleurs offert dans le genre, voilà un petit peu plus de trois siècles, un modèle difficilement surpassable (« Je m'en vais vous mander la chose la plus étonnante, la plus surprenante, la plus merveilleuse, la plus miraculeuse, la plus triomphante, la plus étourdissante, la plus inouïe... » – citant de mémoire, je m'arrête ici, hélas).

Je t'écris ces mots presque en gare d'Austerlitz, nous traversons la couronne de plus en plus lumineuse des banlieues, Paris s'annonce avec tout son éclat de reine des villes, la nuit est claire, humide, veloutée, bleu-noir. Et il me vient une troisième et dernière chose sur l'importance du destinataire dans les lettres : elle est que ce destinataire n'est pas seulement présent *in præsentia*, par les syntagmes ou les formes grammaticales (impératif, vocatif, etc.) qui l'évoquent, mais *in absentia* aussi, par cet inachèvement que toute lettre porte *par essence* en elle. Sauf exception, toute lettre, en effet, *appelle réponse*, instaure littéralement (platoniciennement) une dialectique. Elle n'assène rien de si décisif, de si foudroyant, de si péremptoire, qu'il ne soit évidé de l'incomplétude d'un accusé de réception à venir.

Je reprends cette lettre à Roissy le lendemain. Dans les coussins de l'aéroport, une autre série de caractéristiques épistolaires me sautent à l'esprit. Elles découlent des précédentes, de cette proximité particulière d'un destinateur attentif à se faire entendre et d'un destinataire déjà inscrit en plein ou en creux dans le message : elles tiennent à cet ensemble de réalités phonétiques et sémantiques infimement perceptibles qu'on peut subsumer sous le mot « ton ». Non pas « ton », l'adjectif possessif de la deuxième personne du singulier – qui siérait bien pourtant à ce type d'écrit où ladite deuxième personne s'ébroue triomphalement –, mais le vocable, musicologique presque, qui désigne ce je ne sais quoi dans la vivacité des tournures, la longueur des phrases, le choix des mots, l'ordre des propos, le régime (déclaratif, impératif ou interrogatif) du discours, mille choses encore, qui permettent de distinguer une *epistula ad familiares* d'un roman policier ou d'une thèse. Le ton, donc. Je ne parle ici, bien sûr, que des lettres qui ont quelque chance d'intéresser les amateurs de littérature. Les autres – les administratives, en particulier – obéissent à un code assez pauvre et vite décrit (voir les *Guides des bons usages*). La lettre intéressante – la lettre dans sa splendeur et son essence de lettre – se caractériserait plutôt, sinon par l'absence (impossible) de code, du moins par la libre coexistence de codes hétérogènes. Et je veux bien qu'il y ait des lettres d'un seul tenant et d'un ton unique – ces lettres de Descartes au père Mersenne ou à la princesse Élisabeth qui sont comme des traités de philosophie individualisés –, mais, fussent-elles « philosophiques » comme les *Lettres anglaises* de Voltaire, les lettres gardent d'ordinaire une liberté d'allure – et notamment le droit sacré à la digression – qui les empêche de jamais tout à fait sombrer dans le sérieux ni de constituer vraiment un de ces discours monolithiques que Socrate (qui s'en montre pourtant capable dans *Le Banquet* et surtout le *Phèdre*) tenait en si grande suspicion.

Peut-être faudrait-il dire que la lettre est sans limites, ni de contenu ni d'expression. De contenu, car elle peut les aborder tous, tour à tour, passer, comme le journal intime, d'une considération sur Shakespeare au prix du bifteck, d'une phrase sur Dieu à une affaire d'éjaculation précoce. Son statut privé lui épargne les pudeurs de la bienséance et les occultations de l'autocensure. D'expression, aussi, car elle peut tout dire et comme elle veut : c'est son côté « en bras de chemise » qui, joint à la nécessité que j'ai dite de plaire à son lecteur – « plaire et toucher » –, permet tous les bonheurs et tous les dérapages d'écriture : formules à l'emporte-pièce, anecdotes, gaillardises et exagérations en tout genre. L'hyperbole est la figure de prédilection de ce discours réputé sans figures. Tout de même que les sujets et les genres y miroitent dans leur disparate, on y pratique le mélange des registres et des vocabulaires. On s'y exprime, comme le Neveu de Rameau, dans « un diable de ramage saugrenu », c'est-à-dire, comme il l'explique (à peu près) à Diderot, tantôt dans le babil des gens du monde ou des gens de lettres, tantôt dans celui des dames de la Halle.

Autre chose, qui tient à la structure (dont j'ai déjà dit un mot : cette lettre sur les lettres est décidément bien errante !) : sans limites, la lettre est aussi sans ordre. On y peut bien, certes, suivre un plan, mais il est quasi entendu qu'on écrit *au fil de la plume* et que, si une idée de traverse se présente, il n'est point interdit de lui faire un sort, une tendresse, en passant. « Mes pensées ce sont mes catins », comme dit encore Diderot au début de son *Neveu*. Tout épistolier va un peu comme Montaigne, « à sauts et gambades ». Il n'est pas interdit non plus, en guise d'intermède ou pour faire partager un enthousiasme, de citer autrui – ou de s'autociter (ainsi Rimbaud à Paul Demeny : « J'ai résolu de vous donner une heure de littérature nouvelle »). Il n'est même pas interdit, si l'on n'a plus d'encre ou plus de chocolat ou qu'un visiteur, que sais-je encore, se présente, de laisser l'écrit en plan et de le dire : « La suite à six minutes », écrit encore Rimbe en pleine lettre du Voyant.

... À dans six heures, cher X, je vais dormir.

Tokyo était belle, tout à l'heure, dans le crépuscule, entre Narita et Shinjuku, avec ses embouteillages énormes et silencieux et ces lueurs rouges qui clignotent sur le haut des gratte-ciel comme pour faire signe à d'éventuels extraterrestres.

... Je viens de rêver à Rimbaud. Il avait un visage asiatique, était immense, sautait pardessus les temples shintoïstes – les semelles de vent, sans doute. Le souvenir de ses lettres m'oblige à rajouter deux choses. La forme épistolaire est volontiers 1) allusive, 2) elliptique. C'est qu'on s'adresse à un ou quelques lecteurs qui savent de quoi on parle, inutile d'expliciter. Et l'on écrit, disais-je, au fil de la plume, voire à la vitesse de la pensée, abrégeant, dans la volonté de tout dire, courant d'allusion en citation et de métaphore en métaphore comme les pieds nus sur des charbons ardents.

Deux choses encore, que je ne sais à quoi rattacher. L'une est qu'on n'écrit de lettre que parce qu'on ne peut ou qu'on ne veut *ou qu'on n'ose* s'adresser directement à quelqu'un. Elle ne se conçoit pas sans délai, sans l'attente délicieuse ou douloureuse du facteur. C'est pourquoi je ne sais si le courrier électronique – le *courriel*, comme on dit judicieusement au Québec – est de l'ordre de la lettre : il va trop vite, il peut même être instantané comme le téléphone. L'autre est que le caractère intime de la lettre se marque à ceci qu'il est (du moins qu'il était) généralement considéré comme impoli de la taper à la machine, les lettres tapuscrites étant censées être dictées à un(e) secrétaire et donc plus distantes, presque administratives. On raconte que Gide perdait parfois beaucoup de temps à retaper lui-même à la machine certaines lettres dont il jugeait les destinataires indignes d'un manuscrit. La vraie lettre est écrite à la main et offre aux graphologues en herbe que nous sommes le début de nudité (l'écriture comme métonymie du strip-tease) et le supplément de révélation que le tracé des lettres apporte à l'abstraction des mots.

Voici donc, au galop, définie la lettre : message généralement motivé par une nécessité précise – une urgence ou un rituel –, par l'impossibilité ou la crainte de l'oralité, adressé par un destinateur à un destinataire bien circonscrit, dont l'énoncé porte à l'envi les marques de ces deux instances et les traces d'une volonté de contact entre elles, qui, à défaut d'avoir un code spécifique, les accepte tous, et qui, à l'abri de son statut privé, renforcé par son caractère manuscrit, se veut sans limites et sans ordre, allusif et elliptique. Sans doute ai-je oublié quelques détails encore, mais la nuit tombe dans le jardin d'Ueno où je t'écris ces lignes et bientôt je ne discernerai plus même le vélin de ma lettre. Les bouts de papier pieusement attachés par les promeneurs aux branches des saules (comme de petites lettres aux dieux) scintillent encore un peu et le silence, à peine troublé par le couinement des canards et la musique de bastringue d'une guinguette invisible, prépare en moi des nostalgies futures. Ainsi finit cette lettre où j'ai essayé de t'expliquer à l'avance le plaisir que tu auras à me répondre.

Porte-toi bien.

15

JOUER À L'OREILLE FOURCHUE

– Je ne peux pas vous le dire ici, devant tous ces Iagos... dit le baron brésilien.
Carabine entendit *magots* !

BALZAC
(*La Cousine Bette*)

Qui y voit peu, voit toujours trop peu ; qui entend mal entend toujours quelque chose de trop.

NIETZSCHE
(*Humain, trop humain*, IX, 544)

On sait que les surréalistes ne furent pas avares de jeux. Le « cadavre exquis » ou le jeu de « l'un dans l'autre » restent parmi les plus connus, les plus durables et, justement, les plus exquis. En voici un qui est plus simple encore. Il n'y faut qu'un petit carnet et un crayon gardés en permanence sur soi et que l'on sort dès l'occasion venue, c'est-à-dire dès qu'on est témoin – locuteur ou auditeur – d'un de ces *lapsus auris* ou *aurium* qui consistent à entendre un mot (ou une phrase) à la place d'un (ou d'une) autre. On note la date, le nom ou les initiales de chacun des deux (ou trois, ou plus) acteurs du *quidproquo* et les graphies diverses de ce qui fut proféré et de ce qui fut compris. Plus tard, quand le carnet est rempli, on le relit en public et, s'il y a lieu, on pouffe. (S'il n'y a pas lieu, tant pis.)

Revenons sur quelques termes, éclairons-les.

« Deux ou trois, ou plus. » En effet, si le cas le plus courant est le dialogue, il se peut qu'on soit plus de deux et qu'au moment où l'un parle, deux ou trois personnes ou plus entendent en même temps des choses différentes. Exemple (ci-dessous, n° 13) :

1	2	3	4
Les mots croisés	*L'amour croisé*	*L'amour creusé*	*L'amour crevé*

« Acteurs », oui, tous, ou tous « locuteurs » si vous préférez, car, pour peu qu'il y ait « oreille fourchue », il ne suffit pas que l'un parle et l'autre entende, il faut que celui qui entend dise à son tour à haute voix ce qu'il a entendu. C'est en général sur le mode interrogatif, comme si, soudain, la cocasserie de ce qu'il a cru comprendre lui sautait à l'esprit, ou, simplement, parce que son écoute a été gênée et qu'il veut (la bonne fonction « phatique » du professeur Jakobson !) s'assurer qu'il a bien *saisi*.

Cette deuxième phrase est très importante. C'est elle qui distingue l'oreille fourchue d'un simple et triste malentendu. L'oreille fourchue est un malentendu mis à plat et annihilé, et que suit une rectification (ou plusieurs, si l'auditeur est particulièrement sourd), bref un malentendu qui se termine bien, qui devient *bon-entendu*. À l'inverse, combien d'oreilles fourchues avortées, qui, faute de rectification, deviennent de durables et parfois terribles malentendus !

Quelquefois, cette deuxième phrase est suivie d'une deuxième *bis* (ou *ter*, etc.). Car la phrase de vérification proférée par l'auditeur peut, à son tour, être mal entendue par le premier proférateur, qui ne comprend même pas qu'il s'agit d'une contre-épreuve et répète, à son tour, dubitativement. Exemple (ci-dessous, numéro 18) :

1	2
Il a pris un coup de vieux	*Il n'a pas l'air odieux !*

3
Il a pris de la bière aux dieux ?

« Acteurs », donc, mais jusqu'à un certain point et pas plus. Car le danger est qu'entre gens qui se connaissent et dont l'un sait que l'autre a la délicieuse manie de recueillir ces cuirs d'une espèce particulière, le danger, dis-je, est qu'on finisse par le faire exprès – l'un ne parlant pas assez fort, l'autre surtout n'entendant pas assez fort. Point de trucage ! Il ne faut recueillir ces phrases bancroches qu'ainsi que l'on ramasse de pures pépites ou des champignons sauvages, ou que l'on note (ô Breton) une phrase venue du sommeil : comme un don des dieux (ou des farfadets).

« *Quidproquo* » – et non « *quiproquo* » –, car, en général, la confusion ne porte point sur un *qui(dam)*, mais sur quelque chose qui est dit. Il est vrai qu'il y a des exceptions et c'est parfois d'un nom de personne que naît la fourcherie. Exemples (numéros 22 et 24) :

1	2	1	2
Jules Huret	*Gilles de Rais*	*Derrida*	*Dalida*

Sans compter ce beau cas mixte (numéro 32) :

1	2
Voilà l'accordéoniste	*Voilà Castoriadis*

On le voit : si, souvent, entre ce qui est dit et ce qui est entendu, il n'y a de commun que quelques phonèmes, parfois les confusions sont plus troublantes, formant des espèces de métaphores involontaires, des définitions, des prophéties ! (Qu'on se reporte plus loin aux numéros 3, 9, 16, 17, 27, 30 ou 33).

« Graphies diverses » : quelquefois correspondant à une prononciation strictement identique (exemple n° 20 : 1) Est-ce que tu me vois *enceinte* ? 2) Est-ce que tu me vois *en sainte* ?) ; le plus souvent laissant apparaître l'analogie phonétique qui a entraîné l'erreur (exemple n° 23 : 1) *Elle arrive au bar avec Bruno Nuytten* 2) *Elle arrive au bar avec des mitaines*) ; mais parfois aussi tellement différentes qu'il y a inconscient (ou farfadet) sous roche. Autrement dit (en bonne rhétorique), on passe de la simple *antanaclase*[1] à la *paronomase*[2], voire à l'à-peu-près le plus élastique – formes de calembour (involontaire) de moins en moins pures, mais à la fin si impures qu'on est plus près de Lacan que de l'*Almanach Vermot*. Chacun, parvenu à ce point, entend « midi » à sa porte, écoutant moins l'autre que les diableries que lui soufflent son propre inconscient ou ses obsessions, professionnelles ou autres. Exemple (n° 2), précisément :

1	2
C'est l'Almanach Vermot !	*C'est la s(e)maine « underground » !*

Ici, sans plus attendre, ouvrons nos carnets. Les oreilles fourchues, toutes parfaitement authentiques (sans quoi le jeu n'aurait point d'intérêt), sont classées par ordre chronologique, c'est-à-dire de la façon la moins préméditée, la plus neutre possible. Figurent les initiales de ceux qui proférèrent et de ceux qui entendirent. S'en amuse qui voudra.

1. « Elle consiste dans le rapprochement de deux mots homonymes et univoques avec des significations toutes différentes » (Fontanier). Ex. : un *sort* / il *sort*.
2. « Elle consiste à réunir dans la même phrase des mots dont le son est à peu près le même, mais le sens tout à fait différent » (Fontanier). Ex. : par *fuite* que par *suite*.

Les plaisirs de la vie

EXEMPLES

1) Il y a une salle au sous-sol — Il y a une salve ce soir
DN-DF 7-78

2) C'est l'Almanach Vermot — C'est la semaine *underground*
DF-DN 7-78

3) Brûlée vive dans une auto — Elle revit dans un autre monde
DN-DF 7-78

4) C'est la nouvelle madone des sleepings — C'est le nouvel enlèvement des Sabines
DF-DN 7-79

5) Jaurès — Je rêve — Jaurès ! — Je reste !
KB-DN-KB-DN 7-79

6) Le pizzaiolo — Le fils de l'ayatollah
DN-DF 7-79

7) Celui qui nous sert à la Mostra — Althusser a la prostate
DN-DF 29-8-80

8) *Un consigliere comunale* — Considéré comme nymphomane
DF-DN 2-9-80

9) L'arrière-idée — La réalité
DN-MZ 24-12-80

10) Guy Scarpetta — Giscard-Pétain
DN-DC 6-1-81

11) Moteur ! — Voltaire !
JPD-DN 3-81

12) Barthes — Marx
DN-PB 6-11-81

13) Les mots croisés — L'amour croisé — L'amour creusé — L'amour crevé
JM-FS-X-DN 25-11-81

14) Cinéma du réel — Cinéma lunaire — Cinéma du nerf
DN-PB-DN 2-12-81

15) L'abîme — La Bible
DN-LS 12-12-81

16) *Duras filme* — Du Racine
X-MD 29-12-81

17) La mode — La mort
TH-DN 14-5-82

18) Il a pris un coup de vieux — Il n'a pas l'air odieux — Il a pris de la bière aux dieux
DF-DN-DF 22-5-82

19)	Guy Scarpetta	Giscard-Pétain PB-DN 31-5-82
20)	Est-ce que tu me vois enceinte ?	Est-ce que tu me vois en sainte ? DL-DN 31-5-82
21)	*Socialisme ou barbarie*	Socialisme au bain-marie DN-GN 26-9-82
22)	Jules Huret	Gilles de Rais DN-DL 11-11-82
23)	Elle arrive au bar avec Bruno Nuytten	Elle arrive au bar avec des mitaines PB-DL 11-11-82
24)	Derrida	Dalida DN-PB 13-11-82
25)	Marguerite [Duras] est à Lausanne	Marguerite [Duras] est aux Indes DN-PB 6-3-83
26)	Forêt vierge	Victor Hugo JCR-DN 20-1-84
27)	Je vais dans les cocktails	Je suis un intellectuel DN-JCR 15-10-85
28)	Les philosophes procèdent par postulats	Tu proposais une partouze, tu l'as ! DN-JCR 18-10-85
29)	Dans tout pari, il y a un escroc et un imbécile	Dans « Tout-Paris », il y a Ionesco et un imbécile MT-DN 1-2-86
30)	Les éditeurs	Les hésiteurs DN-PB 10-1-86
31)	Il y a une République	Il y a les poils pubiques DN-TH 2-7-86
32)	Voilà l'accordéoniste	Voilà Castoriadis DN-DF 29-7-86
33)	On dirait une grotte sous-marine[1]	C'est là que la droite se marie DN-DF 23-8-86
34)	Moi d'abord	La loi des morts DF-DN 11-9-86
35)	Camerounais	Cadre mou AC-HM 6-10-86
36)	Sacrificiel	Au cinquième ciel MJ-DN 5-12-86
37)	Chez nous, on a des ratons-laveurs	Chez nous, on a des refondateurs GG-DN 5-9-92

1. *À propos de l'hôtel Lutetia à Paris.*

Les plaisirs de la vie

38)	Il continue la carrière d'un universitaire	Il continue la carrière de baby-sitter DF-DN 7-12-92
39)	Skolimovski	Colibacille PB-DN 18-9-92
40)	Pavarotti	Il ne tient pas la route DF-DN 20-11-92
41)	La loi Lang	La goualante CK-DN 8-12-92
42)	Ponson du Terrail	François Mitterrand DF-DN 17-3-93
43)	Les bicyclettes	Les psychiatres CF-DN 27-5-97
44)	Les forçats de la route	Nathalie Sarraute GC-DN 2-9-94
45)	On ne prête qu'aux riches	Rostropovitch DN-LG 26-9-94
46)	C'est une fille complètement inhibée	C'est une fille qui écrit dans *Libé* LM-DN 20-1-95
47)	Il est à deux doigts de la folie	La belle Ophélie DN-DF 5-3-95
48)	*La Quinzaine*	La caserne DN-EF 21-11-95
49)	Quand on ment	Tout augmente DN-DF 20-4-96
50)	Jean Schlumberger est mort avant que tu naisses !	Jean Schlumberger est mort avant de Funès ! DN-PO 27-5-96
51)	Les sonnets de Quevedo	Les sonnettes de vélo MHst-DN 11-10-96
52)	Je n'ai trouvé que le jardin de Tivoli	Je n'ai trouvé qu'une grande tige au lit DN-RG 3-5-97
53)	T'as du Léon Bloy ?	T'as du lait en boîte ? EC-DN 8-3-98
54)	Chantal Thomas	Madonna GS-DN 17-4-99
55)	Je n'aime pas lire au lit	Je n'aime pas l'ironie BL-DN 20-4-99
56)	Il aurait pu être dangereux	Il aurait pu te rendre heureux DF-DN 28-6-99
57)	S*** a une femme très belle qui essaie de faire du cinéma	S*** a une femme très belle qui saigne du nez DN-AV 7-7-99

58)	C'est le genre de femme qui vous donne du souci	C'est le genre de femme qui vous pousse au suicide MH-DN 31-8-99
59)	Quel fessier anamite !	C'est une de tes amies ! PD-DN 31-8-99
60)	C'est pas le Goncourt	C'est complètement con JS-PR 16-11-99
61)	Achetez *Lutte ouvrière* !	Achetez du bon gruyère ! X-FS s. d.

(Avec la participation aimable autant que spontanée de Kader Bellani, Patrick Bensard, Edward Castleton, Daniel Charles, Annie Comolli, Gérard Courant, Patrice Delbourg, Jean-Paul Dupuis, Marguerite Duras, Éléonore Faure, Dominique Férault, Catherine Ferboz, Laurent Gilbert, Ghyslaine Guertin, Remi Guinard, Teo Hernandez, Michel Host, Michel Houellebecq, Michel Journiac, Colette Kerber, Brigitte Lebrec, Denise Luccioni, Laurent Mercier, Henri Mercillon, Joseph Morder, Pierre Oster, Pascale Richard, Jean-Claude Rousseau, Françoise Saddy, Jacques Sassier, Guy Scarpetta, Lucien Sfez, Michel Taillefer, Arnaud Viviant, Michel Zéraffa et divers X.)

REMARQUES FINALES

On croit que l'oreille fourchue est capricieuse, subjective. Or quelle surprise de découvrir qu'à des années de distance, avec des interlocuteurs différents, et si cocasses qu'ils soient, les mêmes glissements se produisent (exemples n°s 10 et 19) !

Par ailleurs, il n'y a pas que l'ouïe. Les yeux aussi peuvent fourcher. De la dyslexie par distraction à l'« hallucination simple » (« Je voyais très franchement une mosquée à la place d'une usine, [...] un salon au fond d'un lac », comme dit Rimbaud), il y a de quoi faire.

Avec les autres sens aussi : après tout, la petite madeleine trempée dans le thé ou le tilleul, les pavés inégaux de Venise, ô Proust, les « hallucinations de l'odorat » éprouvées par Des Esseintes, ô Huysmans, qu'est-ce, sinon bouche, pied et nez fourchus ?

Revenons à l'oreille. Le plus ancien cas d'oreille fourchue attesté, si l'on y songe, remonte au Ier siècle avant notre ère : c'est la fameuse anecdote rapportée par Cicéron (est-elle authentique ou imaginaire ? on ne peut dire), de Crassus entendant sur le port de Brindes, au moment où il va s'embarquer avec son armée, ce cri : « *Cave ne eas !* » (Ne pars pas !), qui vient en réalité d'un marchand de figues de Caunus annonçant sa marchandise : « *Cauneas !* » (Figues !) – ce qui prouve, par parenthèse, que les Latins prononçaient « ou » le « v » aussi bien que le « u » [1].

On pourrait maintenant noter qu'est à l'œuvre, dans le jeu de l'oreille fourchue, la même crainte

1. « *Cauneas clamitabat...* » : Cicéron, *De divinatione*, L. II, ch. XL.

et en même temps le même plaisir de mal entendre que dans ce jeu d'enfants (ou d'adultes) qui consiste à chuchoter à l'oreille de son voisin (ou de sa voisine) le mot ou la phrase que lui a chuchoté(e) le joueur précédent et à comparer le mot ou la phrase compris(e) par le dernier joueur à celui (ou celle) que le premier avait lancé(e). On pourrait noter aussi que cela ne peut qu'intéresser les spécialistes de la théorie de l'information. Noter enfin que c'est, après tout, le syndrome du professeur Tournesol ou des téléphoneurs lointains – comme les voient, du moins, Hergé ou Reiser :

Les Bijoux de la Castafiore

Je me contenterai, cependant, pour finir, d'observer que c'est aussi le déclencheur possible de quelques textes de littérature, que le farfadet brouilleur ou fourcheur bien aprivoisé fait un honnête *embrayeur* textuel (comme diraient nos théoriciens de la littérature). À l'instar du sieur Roussel, des écrivains, non des moindres (mais des moindres aussi), en firent, en font, leurs délices. – Vous dites ? Leurs hélices ? – Si vous voulez. C'est un moteur.

16

VIVRE EN ÉCRIVAIN

Parfois, je me prends pour un écrivain. C'est un plaisir qui demande de l'organisation, un horaire rigoureux. Ma journée type commence à minuit, heure où je suis plongé dans le plus profond sommeil. À 2 h 34, j'ai ma première insomnie, que je mets à profit pour écosser des petits pois en chantant *mezza voce* et en allemand une cantate de Bach (généralement la BWV 84). À 3 h 16, je me rendors. Ma deuxième et ma troisième insomnies interviennent simultanément à 3 h 18 et vingt secondes mais prennent fin trop tôt pour que j'aie ne serait-ce que le temps de murmurer proustiennement : « Je m'endors... ». Je me réveille dans l'après-midi, vers 15 h 06. Je pique un nez dans la piscine (en priant le Ciel qu'il y ait une piscine et que je ne me retrouve pas, comme l'autre jour, le nez dans la glèbe profonde), je rechante une cantate (cette fois de Fauré), je mange trois œufs durs et un brin de cerfeuil étêté, je bois une bonne rasade de sirop pour – ou plutôt contre – la toux et me mets brusquement à écrire, à la surprise générale (et à la mienne en particulier), à 16 h 28 tapantes. Je noircis invariablement et d'une traite soixante-six pages et demie que je déchire aussi sec, puis une soixante-septième qui est la bonne (qui est même la très bonne si je réussis à y placer vingt-six « a », vingt-six « b », vingt-six « c », et ainsi de suite jusqu'à « z » – et pas un de plus ! –, ce qui est la contrainte principale que je me suis fixée pour le roman que je tente actuellement d'écrire). À 17 heures, heure des marquises, je pars à la chasse aux papillons ou à la pêche aux écrevisses (selon météo). Quelquefois, sur le coup de 20 h 10, j'écoute le brame des cerfs (sans succès aucun jusqu'ici, confessons-le). Sinon, rien de particulier : je rentre à 21 heures (voire pas du tout), procède à quelques ablutions, passe deux ou trois coups de fil aux antipodes, crie « cocorico ! » (ou « Géronimo ! » les jours pairs) et *¡basta !* « ma journée est faite », comme disait le jeune Rimbaud.

17

LA PHOTO DE CLASSE

On venait nous chercher en plein cours. Logique, puisqu'on devait être photographiés avec le prof, généralement le professeur principal. Dans certains lycées, on était prévenus la veille et on avait la possibilité de mettre ce matin-là un soin particulier à choisir ses vêtements, à se mettre de la gomina, à faire sa raie à droite ou à gauche. Le plus souvent, c'était à l'improviste, on était comme on était, juste un coup de peigne, tant pis. Cela faisait une récréation supplémentaire, on s'ébrouait, mais la solennité de l'enjeu – un vague sentiment de postérité, un rien de narcissisme collectif – tempérait bientôt les chahuts.

Le photographe venait généralement de Levallois-Perret. J'ai retrouvé des photos prises, en huit ans, dans les lycées les plus éloignés, Rouen, Biarritz, Bordeaux, Paris : le photographe était toujours de Levallois-Perret. À croire qu'un petit nombre de studios de la région parisienne avaient reçu en concession la France entière des lycées et collèges et y dépêchaient à longueur d'année des armées d'opérateurs itinérants, voire un Nadar unique et suractif. Quoi qu'il en soit, seul ou avec un assistant, celui-ci avait préparé son coup : des chaises, des bancs nous attendaient dans un coin de la cour. On grimpait dessus par ordre de taille : les plus petits assis au premier rang, les plus grands debout sur les bancs et les plus grands des grands au milieu du dernier banc. Ainsi l'esthétique – symétrie et centimètres – imposait-elle un ordre qui contrevenait à l'ordre habituel des affinités et des mérites. De futurs amis de trente ans étaient séparés l'un de l'autre, des rivales ou des ennemis se côtoyaient. Le futur prix d'excellence était perdu dans la masse ; le cancre, parce qu'il était haut comme trois pommes, pouvait se retrouver à côté du prof, en chouchou, ou, grande bringue, figurer le faîte de cet édifice de chair studieuse.

Un étrange organisme en résultait, tableau vivant éphémère, incarnation visuelle et au repos de cette jungle, de ce tourbillon, de cette franc-maçonnerie, de cette chambre d'échos et de rires, de cette unité fortuite et nécessaire – l'arbitraire devenant nécessité – qu'est une classe. De futurs fous rires, de longs attendrissements se préparaient ainsi, en une seconde, celle où le petit oiseau allait sortir... et sortait, tandis que le photographe, un moment disparu sous son capuchon noir, réémergeait à la lumière pour appuyer sur son déclencheur.

Le résultat était cette bombe à retardement qu'est toute photo, mais avec des éclats d'un genre unique. Rien n'est bouleversant comme la photographie d'êtres aimés, dans la gloire de leur jeunesse ou l'aura de leur bonté. Par elle peut s'enclencher à tout moment une archéologie intime du désir ou du bonheur. C'est le portulan de la nostalgie. La photo de classe est saisissante autrement, ne serait-ce que parce qu'elle ne véhicule pas que de l'amour. Que de tensions, d'envies, de défis, de cruautés, parfois, entre ces visages lisses, appliqués à sourire, à qui on donnerait le bon Dieu sans confession ! Untel m'avait injustement accusé d'un vol, tel et tel me torturaient ou me rackettaient, j'étais amoureux d'Unetelle ou d'Untel. À Biarritz, où a été prise la photo ci-après, le lycée – qui avait brièvement compté Roland Barthes parmi ses enseignants et qui fut un des premiers lycées mixtes de France – était fait de quelques villas ayant appartenu à l'impératrice Eugénie ou à son entourage et de préfabriqués, et était installé dans un parc splendide, en partie couvert de roseaux. On devine qu'il s'en passait de belles, le visage de tel ou telle le rappellera avec gaieté à ses congénères : on fumait ses premières cigarettes, on lisait des *erotica* en petits groupes, on flirtait, on parlait politique, on faisait le mur pour aller à la plage.

Lycée mixte de Biarritz
1957-1958

Parfois, au contraire, ces compagnons de chaque jour et de chaque heure nous sont devenus des martiens. Comment s'appelaient ce petit rouquin, cette grande blonde à nattes ? Rares, cependant, les photos de classe qui ne nous disent absolument plus rien. Toujours quelque hiéroglyphe parle sur ces pierres de Rosette. On s'est revus, ou la rumeur a fonctionné : celle-ci est devenue institutrice en Bretagne, celui-là responsable du cinéma sur France 2, celui-ci est notaire, celle-là exploratrice. Quelquefois, même, l'un ou l'une est devenu(e) célèbre. Un étrange test de

Rorschach rétrospectif commence alors, où il s'agit de pressentir dans ce regard pétillant ou cet air sombre, cette mèche ou ce petit pli aux lèvres, le destin de la star ou du ministre.

L'exercice peut se pratiquer avec les photos de classe des autres. Certaines sont fameuses, improbables, qui réunissent deux ou trois futures gloires d'un coup. Ainsi, à l'École alsacienne, année scolaire 1887-88, le jeune André Gide debout derrière Pierre Lou[ÿ]s assis. Ou, à l'École normale supérieure – à l'époque révolue où l'on y prenait des photos collectives –, la photo de la promotion 1878 où Henri Bergson, debout, moustachu et yeux mi-clos, fait pendant à Jean Jaurès assis et barbu, ou bien la photo générale qui réunit en 1925 Raymond Aron, Jean Cavaillès, Georges Canguilhem, Alfred Kastler, Vladimir Jankélévitch, Paul Nizan, Jean-Paul Sartre et quelques autres [1].

Encore ceux-là ne détonnent-ils pas. Quelquefois, les voisinages sont plus cocasses. De la même école, la photo de 1929 (mais a-t-elle été prise ?) aurait dû montrer, côte à côte, Jacques Soustelle et René Étiemble, celle de 1930 René Billières, futur ministre radical-socialiste de la IVe République finissante, et Georges Pompidou,

1. Reproduite, ainsi que la précédente, dans : Pierre Jeannin, *Deux siècles à Normale Sup'* – Petite Histoire d'une Grande École, préface de Claude Hagège, Paris, Larousse, 1994, pp. 194-195 et 96-97.

futur deuxième président de la Ve commençante. Et que dire des photos de l'ÉNA, qui montrent pêle-mêle tant de futurs adversaires politiques et font *voir*, bien plus vite qu'une thèse, par-delà les différences superficielles, la parenté idéologique de fond, sur plus d'un point, d'un Chirac et d'un Rocard, d'un Fabius et d'un Juppé ?

Plus le photographié est enfant, plus il est évidemment difficile à identifier. D'où ces « deuxième à partir de la gauche au dernier rang » ou ces indiscrètes croix blanches qui désignent l'élu dans les illustrations des biographies. Et ces surprises. Car qui reconnaîtrait l'auteur du *Bateau ivre*, l'ange de dix-sept ans de la photo de Carjat, dans le petit écolier renfrogné photographié sept ans plus tôt, en uniforme, au premier rang des pensionnaires de l'Institution Rossat de Charleville ? Qui retrouverait le misanthrope édenté des années cinquante, l'ermite grincheux de Fontenay-aux-Roses, le héros désopilant des entretiens radiophoniques avec Robert Mallet, bref Léautaud, dans ce petit brun à la mâchoire de futur rugbyman qui pose à l'école communale de Courbevoie en 1884-85 ? Et qui devinerait le discret Julien Gracq dans ce jeune Louis Poirier à monocle et haut chapeau noir d'une photo de groupe prise rue d'Ulm en 1931 ? La surprise peut faire place à une discrète émotion quand, la photo jouant un peu trop vite son rôle d'embaumement visuel, elle nous montre non seulement des vivants perdus de vue mais les premiers morts d'une génération.

Le verso de ces photos compte aussi. En y notant, dans l'ordre, le nom des élèves alignés au recto, les plus prudents s'épargnent pour l'avenir des perplexités infinies. En outre, dans certaines classes, notamment les classes préparatoires aux Grandes Écoles, comme si les visages et les noms n'étaient pas de suffisantes traces et qu'il faille en quelque sorte leur adjoindre la parole, l'usage est de demander une dédicace – vœux, compliments, vannes en tout genre – aux plus proches de ses *labadens* (comme on dit chez Feydeau).

Ainsi, sur leur support de carton crème à rabat, ces reliques en noir et blanc (aujourd'hui en couleur) proposent une double ration de souvenirs et d'attendrissement. Plus que les parchemins des diplômes, qui signent des triomphes solitaires, elles assurent la célébration collective d'une des périodes les plus importantes et les plus démocratiques de la vie. Elles sont le sceau particulier d'une de ces micro-institutions où, comme dans les équipes de scouts, les chorales, les clubs de football et les régiments, la solidarité l'emporte sur la solitude et la cohésion sociale s'élabore. À l'instar du satellite Spot qui donne, hectare par hectare et presque mètre carré par mètre carré, une photographie exacte de la terre, elles offrent, par paquets de trente ou quarante, et génération par génération, toutes classes sociales, toutes croyances, toutes tailles et couleurs de cheveux confondues, des images précises d'une société dans le moment où ses membres ont encore assez de discipline pour poser ensemble et éprouvent assez de fierté commune pour... acheter la photo. (Il n'y a pas de photos de classe dans les universités : c'est peut-être le meilleur signe de leur échec.) Par elles, oubliant tous les périls qui la menacent (là, à l'école, précisément), la République intégratrice se tend un miroir optimiste et ordonné. Les plaisirs symboliques étant les plus durables et résistant longtemps à l'effondrement de ce qui les justifie, et à moins que de nouveaux intégristes religieux, ayant raison d'une laïcité molle et doutant indûment d'elle-même, ne jette un jour l'anathème sur le fait de s'exhiber devant une chambre noire, la photo de classe a encore un bel avenir.

18

ALLER AU CINÉMA

Le cinéma est un de mes plus anciens plaisirs. Je pourrais même presque dire que mon premier souvenir d'enfance est un souvenir de cinéma : nous vivions à Bolbec, près du Havre, et c'étaient les bombardements du débarquement et de la Libération. Sacrée superproduction ! Le jour... *les* jours les plus longs, *en vrai* ! L'involontaire apprenti cinéphile que je fus alors n'était pourtant pas particulièrement à la fête : je me souviens qu'on nous avait réveillés en pleine nuit, mon frère cadet et moi, habillés en hâte, portés à travers le jardin jusqu'à l'abri en béton que mon père y avait fait construire – une espèce de demi-pyramide sur laquelle, le reste du temps, nous grimpions et jouions à qui mieux mieux –, et que, pour vivre à l'aveugle ce premier grand film historique, nous avions pour sièges des litières de foin.

Mon premier vrai souvenir de cinéma : une image en noir et blanc de femme en longue robe à fourreau sombre qui chantait « *Amor ! Amor ! Amor !* » (sons que je ne comprenais pas, mais où quelque chose de funèbre ne pouvait pas ne pas passer). Puis, une autre fois, ce fut Mowgli en couleur dans la jungle et, une autre fois encore, Bambi fuyant dans la forêt. Ces deux dernières images – ou l'une au moins d'entre elles – étai(en)t accompagnée(s) de flammes et je ne m'en souviens sans doute que pour la terreur que m'inspirait cette menace de feu.

Bombardements, diva mortifère et incendies : on voit que le cinéma s'est d'abord inscrit pour moi dans la série des beaux désastres.

En fait, ma génération – dois-je le déplorer ? je serais tenté de m'en réjouir –, c'était beaucoup plus la lecture (les miennes : Alexandre Dumas, Jules Verne, *Le Robinson suisse*, Paul Féval, Gustave Aimard) et la radio (Zappy Max, Jean Nohain, *La Famille Duraton, Sur le banc*, *Reine d'un jour*, *Les Maîtres du mystère*...). La dernière génération avant la télé.

À part cela – nous avions déménagé à Rouen, mes parents étaient quasiment séparés, j'avais six, sept ans –, le cinéma a réapparu pour moi à l'école primaire laïque, une ou deux veilles de vacances. Un vieux projecteur poussif et grinçotant – ou était-ce une lanterne magique ? – dévoilait à nos yeux émerveillés des images plus ou moins fixes de l'A.O.F. ou de l'Afrique équatoriale française, avec des cartes, des indigènes pagayant, de braves tirailleurs sénégalais... J'ai tort de dire « émerveillés » : cela me paraissait manquer de couleur et de mouvement.

Un peu plus tard, les ciné-clubs sont entrés dans ma vie. Il y avait ceux où maman allait sans nous – et elle nous racontait le film le lendemain (*L'Homme au complet blanc* raconté par elle en détail est un de mes plus beaux souvenirs de cinéma *indirects*, avec *Vertigo* raconté plan par plan par Jean Eustache dans une *enoteca* de Bologne un soir de janvier 1980). Et il y avait les ciné-clubs où nous allions avec elle, généralement le dimanche matin au Normandy, rue Écuyère, généralement des films sur l'art ou les animaux, plus quelques « chefs-d'œuvre » de l'époque ou de l'époque d'avant, *Les Lanciers du Bengale*, *Henry V* (avec Laurence Olivier), *Le Baron de Crac*, *Noblesse oblige*. Pendant ce temps-là, rue des Carmes, à quelques dizaines de mètres du magasin de jouets de ma grand-mère, le Ciné-France présentait *Le Blé en herbe*, *Le Troisième Sexe* et autres films « interdits aux moins de 16 ans », dont les affiches troublaient beaucoup les élèves de 6e ou de 5e dont je faisais partie.

En 1952, je crois, eut lieu à Rouen un événement : l'ouverture (ou la réouverture) de l'Omnia, superbe et immense salle d'un millier de places, tout, rideau, murs, fauteuils, et jusqu'aux ouvreuses il me semble, en velours gris perle. Je me rappelle y avoir vu en famille *Le Trou normand*, dont Bourvil était la vedette, et où je remarquai une jeune débutante très attirante (c'était bien la première fois que j'éprouvais une attirance de ce genre au cinéma, plus esthétique, cependant, encore, que véritablement sexuelle). Son nom était Brigitte Bardot. C'est dans cette salle qu'eurent lieu bientôt les distributions des prix de notre lycée.

Est-ce là, ou est-ce à l'Eden, belle salle moderne du bas de la rue Jeanne-d'Arc, que deux de mes camarades de cinquième A2 et moi vîmes, en 1953, le film dont j'ai parlé plus haut[1], *Quo Vadis ?* de Mervin LeRoy (inutile de dire que j'ai découvert ce nom bien plus tard et que nous ne prêtions alors attention qu'au nom des vedettes : Deborah Kerr, Robert Taylor, Peter Ustinov) ? En tout cas, ce film hanta nos vies plusieurs mois durant et renforça de façon décisive notre goût pour le latin et les belles-lettres. Nous n'avions pas vu le film ensemble et ne nous connaissions qu'à peine : il ne fallut pas deux semaines, cependant, pour que, nous étant attribué chacun le nom d'un des personnages du film, nous formions un groupe littéraire et musical (l'un de nous composait en effet et, à cause d'« Oh ! oh ! l'ardente flamme ! » chanté par Peter Ustinov devant Rome en feu, il se fit appeler Néron, évidemment). Comme je l'ai raconté, une revue en résulta, *L'Azur*, qui réserva plusieurs mois durant

1. Voir ci-dessus, le chapitre 12.

à nos lecteurs (parents et camarades plus ou moins goguenards) la primeur de nos approximatifs talents de rimailleurs, de conteurs ou de dessinateurs. J'y ai publié mes premiers alexandrins.

À peu près à la même époque, une partie de nos vacances familiales se déroulait dans un camping de Saint-Aygulf, près de Fréjus. Là, deux fois par semaine, un cinéma en plein air projetait aux campeurs la trilogie de Pagnol ou *Le Parfum de la dame en noir* et *Le Mystère de la chambre jaune*. Je retiens de cette période un ou deux souvenirs de grande frustration : certains soirs, en effet, faute d'argent de poche ou pour n'avoir pas été assez sages, nous étions privés de cinéma. Je me revois un de ces soirs-là, n'arrivant pas à trouver le sommeil sur mon matelas pneumatique, car, portée par le vent et faisant concurrence aux cigales, la voix de Raimu et d'Orane Demazis venait jusqu'à moi me narguer.

L'un des plus grands souvenirs de frustration de mon enfance est également lié au cinéma. Je l'ai raconté ailleurs en changeant lieux et noms. Mais il s'agissait bien de moi, à Rouen, un jeudi que j'étais invité par ma tante et que, désirant me faire plaisir, elle énumérait toutes sortes d'agréables occupations auxquelles nous pourrions consacrer l'après-midi, sans avoir l'idée de proposer la seule chose qui me fît vraiment envie – d'une envie brûlante et presque insoutenable : aller voir *Le Fils du Bossu* (ou *de Lagardère* – je ne puis trancher, c'est le genre de film qui n'est répertorié ni dans le Sadoul ni dans le Larousse du cinéma), chose que par timidité je n'osai à aucun moment lui suggérer moi-même. J'espère qu'elle ne m'en voudra pas de ce souvenir. La rassurera sans doute de savoir que c'est une des occasions qui m'ont le mieux permis d'éprouver à quel point le cinéma pouvait m'être indispensable et qui ont contribué, peut-être, à faire de moi, quelques années du moins, un fervent critique de cinéma.

19

MANGER AU CINÉMA

MENU
ENTRÉE : le cinéma en mangeant
PLAT DU JOUR : mets écraniques et mets réels
FROMAGES ET DESSERT : le film comme nourriture

ENTRÉE

Le cinéma en mangeant

Définition du cinéma par une amie : « deux heures à avoir faim ». Elle choisit en effet la séance de 20 h et soupe ensuite. Cette solution présente deux inconvénients : les gargouillements d'estomac dans le noir et, à vingt-deux heures, quand on sort, le bon petit restaurant qu'on aime ne sert plus. Mais un avantage : la faim rend bon juge pour les scènes de table. Et quelquefois le film donne des idées de plats à manger *après* (des sushis après *L'Empire des sens*, un couscous après *Lawrence d'Arabie*, une soupe à la tortue après *Le Festin de Babette*). L'autre solution est de manger avant. Inconvénient : le risque d'assoupissement pendant la digestion.

C'est pour éviter un tel dilemme qu'un certain nombre de spectateurs choisissent de manger pendant. Citons, entre autres catégories : les Américains, les Taïwanais, les amateurs d'esquimaux, André Breton et Jacques Vaché, quelques cinéastes expérimentaux.

Le difficile, pour qui prétendrait se faire l'ethnologue de cette pratique, est de décider ce qui, de manger ou de voir un film, est ici l'acte principal. Dans plusieurs cas, nul doute, c'est manger : ainsi dans ces cafés-restaurants – il y en eut à Montréal ou à New York à la fin des années soixante – où les salades et les tartes qu'on vous servait étaient accompagnées, comme d'une garniture supplémentaire, de la projection d'un Charlot ou d'un Buster Keaton sur le mur voisin. (Avantage, en effet, du film muet : il ne couvre pas la voix des convives, ni, d'ailleurs, le bruit de leur mastication.) Dans les autres cas, plus difficile à dire. À Tokyo, où la place manque, la Cinémathèque fait recette à la séance de midi : on y peut, en effet, manger tranquillement son casse-croûte assis, au frais. Mais revenons à notre énumération.

a) Les Américains : du *drive-in*, où l'*american way of life* se donne à consommer sous la triple forme de la bagnole, du film hollywoodien et du poulet barbecue, aux salles fermées où flotte en permanence l'écœurante odeur douceâtre du lait au pop-corn, les États-Unis sont sans doute le pays où la nature alimentaire du cinéma est le plus massivement et le plus littéralement dénotée *in situ*. *In situ*, voire *at home*, le *TV dinner* étant la version minuscule et domestique de cette communion sous les deux espèces.

b) Les Taïwanais : je dis Taïwan, mais ce sera bientôt le monde entier. Quand on entre dans la cafétéria des étudiants de l'École des beaux-arts de Taïpeh, on a l'oreille assaillie par le son, au maximum du volume, de trois téléviseurs concurrents, chacun sis dans un coin distinct de la salle. Nos apprentis artistes ne peuvent, semble-t-il, manger leurs nouilles ou leur soupe à la crevette sans l'accompagnement de cette autre soupe, *made in Japan* : des dessins animés rudimentaires et violents, médiévalo-cosmiques, du genre *Goldorak*.

Même association de l'oculaire et du buccal – inévitable lot d'une génération nourrie *dès l'œuf* à l'hormone télévisuelle – dans ce qui constitue la dernière mode à Taïpeh : ces établissements flambant neufs qu'ils appellent « MTV », lieux de rencontre plutôt BCBG où l'on attend, en sirotant quelque thé froid et en suivant vaguement de l'œil des clips magnétoscopés, que soit libre une des cabines où l'on peut, seul ou en petit comité, regarder les cassettes vidéo de son choix, allongé dans de confortables fauteuils, tout en se faisant servir mets et boissons. Ingénieuse façon de résoudre la question des sorties du samedi soir pour une jeunesse qui manque de lieux à elle et que lassent les queues interminables et incertaines (des maffiosi achètent à l'avance presque tous les billets pour les revendre au marché noir) devant des salles de cinéma inconfortables où un public bruyant ne trouve à consommer que d'insipides films commerciaux. L'étonnant, dans ces lieux d'un nouveau type dont les Chinois sont fiers, est le grand choix de cassettes ou de vidéodisques – la plupart d'origine japonaise – qu'on y peut louer : j'y ai repéré, par exemple, les derniers Rohmer, *Le Roi et l'Oiseau* de Grimault, des McLaren et même des films expérimentaux purs et durs.

c) Les amateurs d'esquimaux : dans leurs salles, les Français, jusqu'ici, ne mélangeaient pas les genres. Des marchands de pop-corn voudraient bien les faire revenir là-dessus comme sur tant d'autres choses, c'est-à-dire en faire de petits Américains ; une offensive puissante est même lancée depuis peu en ce sens dans certaines salles – avec un succès relatif. *Jadis, si je me souviens bien*, la seule nourriture admise était, à l'entracte, les « bonbons, caramels, esquimaux, chocolats » que proposaient les ouvreuses dans ce petit panier d'osier, suspendu à leur cou par une attelle, qu'elles portaient devant l'estomac comme un étal charmant. Bientôt, comme on sait, des films publicitaires apparurent en renfort et le sourire des belles colporteuses fut relayé par les « Fond dans la bouche, pas dans la main ! » et les « Vous êtes emballé ! » des caramels Dupont d'Isigny ou des bonbons Kréma.

d) Breton et Vaché : il s'agit de cette période où Jacques Vaché ne s'était pas encore suicidé et où, à l'orchestre de l'ancienne salle des Folies dramatiques, comme André Breton le raconte dans *Nadja*, « nous nous installions pour dîner, ouvrions des boîtes, taillions du pain, débouchions des bouteilles et parlions haut comme à table, à la grande stupéfaction des spectateurs qui n'osaient rien dire ».

e) Certains cinéastes expérimentaux : comment ne pas parler ici des *Ciné-bouffes* organisées, à la fin des années soixante-dix, au Centre culturel de l'Abbaye, à Saint-Germain-des-Prés, par des cinéastes comme Joseph Morder, Vincent Toledano et Yves Rollin, où les projections (abondantes) de films en super-huit étaient agrémentées, à chaque changement de bobine, voire en permanence, de dégustations de sandwiches au pâté, salades, viandes froides et picrates de tout acabit ?

Quelle leçon – quelle théorie – tirer, pour finir, de ces expériences diverses ? Que, sans doute, *ventre affamé n'a point d'œil.*

PLAT DU JOUR

Mets écraniques et mets réels

Il existe dans l'oralité, comme dirait Jean Rouch, et au moins dans la mémoire des acteurs ou des techniciens de cinéma, toute une masse d'anecdotes sur la différence, plaisante ou cruelle selon les cas, entre nourriture réelle et nourriture de tournage, splendides poulets rôtis écraniques et misérables fac-similés de cire ou de carton, vrais et faux nectars, bref, entre le diégétique et le diététique. En temps de disette nationale, demandez aux figurants du banquet des *Visiteurs du soir* tourné en pleine Occupation (ils avaient, dit-on, du *vrai* à se mettre sous la dent), ces nuances comptent. Pour le spectateur, c'est moins sûr : en gros, il voit bien que chez Renoir c'est du vrai, chez Méliès du faux, mais pour le reste, qu'importe ? Quant au cinéphile, sa mémoire ne distingue plus, seule compte la jubilation qu'il peut éprouver à décrire pour la énième fois, devant quelque compère, tel ou tel *morceau* de bravoure. À son intention, voici un petit assortiment de

Mets cinématographiques célèbres ou qui mériteraient de l'être

a) L'omelette du père Poulain dans *Une partie de campagne* de Jean Renoir. C'est une omelette à l'estragon. Le père Poulain, interprété avec un bonheur relatif par Renoir lui-même, comme on sait, la sert, après une absinthe et du fromage de tête arrosé au vin blanc, à Henri et Rodolphe, les deux « canotiers » en vacances, qui en ont assez des fritures. La friture dont ils ne veulent pas ira aux Parisiens qui viennent d'arriver dans une voiture de laitier (frappée, il convient de le noter, aux armes de Charles Gervais). M. Dufour se promettant « un balthazar », Mme Dufour, qui a repéré la première le restaurant Poulain (« Matelottes – Fritures / Cabinets de société – Balançoires / Repas 2 F 50 » – c'est en 1936), passe ainsi la commande : « Une petite friture, un bon petit lapin sauté, de la salade et du dessert. » Ce que M. Dufour complète sagement par : « Deux litres de vin blanc et du bordeaux rouge ! » On notera enfin l'importance du cerisier, à l'ombre duquel aura lieu le pique-nique et qui sera l'enjeu des premiers pourparlers entre les jeunes gens et les deux femmes.

b) La salade de pommes de terre dans *La Règle du jeu* du même. Contrairement à l'omelette précédente, on ne voit pas cette salade à l'image. Elle est évoquée par le chef cuisinier de La Cheyniest, au moment du déjeuner des domestiques, en réponse aux propos antisémites de l'un d'eux. Ce chef, homme plantureux qui ressemble à Raymond Barre (Léon Larive), raconte qu'il a quitté ses précédents patrons, les de Lépinay, parce qu'ils « bouffaient comme des cochons », que La Cheyniest, par contre, « tout métèque qu'il est », l'a « engueulé » l'autre jour « pour une salade de pommes de terre » : « Vous savez, explique-t-il, – ou plutôt vous ne savez pas – que pour que cette salade soit mangeable, il faut verser le vin blanc sur les pommes de terre lorsque celles-ci sont encore *absolument* bouillantes, ce que Célestin n'avait pas fait, parce qu'il n'aime pas se brûler les doigts. Eh bien lui, le patron, il a reniflé ça tout de suite. Vous me direz ce que vous voudrez, mais ça, c'est un homme du monde ! » C'est le même chef qui répond superbement à l'un de ses aides, à propos du régime spécial au sel marin demandé par une invitée : « Madame La Bruyère mangera comme tout le monde. J'accepte les régimes, pas les manies. »

c) Le repas au Train bleu de la gare de Lyon dans *La Maman et la Putain* de Jean Eustache. Puisqu'on en est aux belles et saines maximes, cette réplique d'Alexandre (Jean-Pierre Léaud), dans la séquence 10 A : « Ne pas avoir d'argent n'est pas une raison suffisante pour mal manger. » Puis ce conseil du même à Véronika (Françoise Lebrun), tandis qu'ils en sont au plat de résistance et boivent d'un bordeaux non identifié : « Vous savez, quand on mange froid, on sent le froid, pas le goût. Quand on mange chaud, on sent le chaud, pas le goût. Quand c'est dur, on sent le dur, pas le goût. Quand c'est liquide, on sent le liquide, pas le goût. Donc, il faut manger tiède et mou. »

d) Le gâteau d'anniversaire géant de *Certains l'aiment chaud* de Billy Wilder, d'où surgissent d'inattendus flingueurs.

e) Les cuissots et cuisseaux (ô Mérimée !) sensuellement dévorés à doigts et bouche que veux-tu dans *Tom Jones* de Tony Richardson. Le protagoniste (Albert Finney) et la belle qu'il convoite se dévorant en même temps des yeux, n'importe quel apprenti rhétoricien aura tôt fait de repérer là une bonne grosse métaphore. Peut-être osera-t-il y lire aussi une quasi-métonymie, comme si les cuisses de poulardes étaient ici prémonition de cuisses humaines et l'érotisme le prolongement de la gourmandise par d'autres moyens.

f) Le champignon d'*Eat* d'Andy Warhol. Par un habile effet de montage en boucle, cette thallophyte que grignote nonchalamment Robert Indiana en plan rapproché est toujours intacte au bout des trois quarts d'heure du film.

g) Le beurre dans *Le Dernier Tango à Paris* de Bernardo Bertolucci. (Voir ci-dessus la fin du commentaire de *Tom Jones*.)

h) La poire dans *Still Life With Pear* de Mike Dunford, cinéaste expérimental anglais. Une splendide poire y est cadrée différemment toutes les trente secondes. Mais ces cadrages successifs prenant du temps et ayant dû creuser l'estomac du cinéaste, on aperçoit bientôt sur le pauvre fruit des traces de dents, puis des ablations de plus en plus profondes, jusqu'à sa réduction à l'état de trognon.

i) Les biscuits Brun et les pâtes La Lune mis en scène par le grand Alexeieff dans un des premiers films d'animation en couleur de l'histoire du cinéma (seule la munificence des marques commerciales, m'expliqua-t-il peu avant sa mort, permettait en ce temps-là des expérimentations avec la couleur). Les biscuits défilaient comme de petits soldats napoléoniens. Quant aux pâtes, je ne me souviens plus bien, elles devaient être célébrées par la présence bienveillante au-dessus du défilé d'une grosse lune rigolarde.

j) L'escalope panée dans *Jeanne Dielman, 23, quai du Commerce, 1080 Bruxelles* de Chantal Akerman : préparée devant la caméra avec un soin quasi didactique par Delphine Seyrig, cette tranche de veau délicatement enrobée de chapelure plaira aux petits et aux grands.

k) Le poisson flambé et reflambé dans *Playtime* de Tati. Belle métaphore de tant de textes (y compris de celui-ci, peut-être) : ça flambe, ça flambe, mais on ne voit jamais rien arriver dans son assiette.

l) Rubrique spéciale (dédiée à Marie-Christine de Navacelle) : les cochons au cinéma. De *La Traversée de Paris* de Claude Autant-Lara à *Scènes de chasse en Bavière* de Peter Fleischmann, du *Cochon* de Jean Eustache au *Règne du jour* de Pierre Perrault, de *Porcile* [Porcherie] de Pier Paolo Pasolini à *Vase de noces* de Thierry Zéno, d'*Au fin porcelet* de Roy Leekus à *Cochon qui s'en dédit* de Thierry Lemerre et Jean-Louis Le Tacon, il y aurait de quoi faire un festival du film de cochon, comme il y en a un, par exemple, du film militaire.

Théorie : nourriture bien filmée fait bien fantasmer. Plus encore qu'un *effet de réel*, l'omelette baveuse ou la cuisse de grenouille appétissante provoque un effet d'adhésion au monde filmé ; elle renforce donc l'« identification » du spectateur aux personnages. C'est la sauce suprême sur la poularde ou le riz. *Donnez-moi de bonne nourriture et je vous ferai de bonne diégèse.*

FROMAGES ET DESSERT

Le film comme nourriture
(essai de théorie cinégastronomique)

« Navet », « western spaghetti » : la nourriture est là, dès les termes génériques et dans maint titre prestigieux, du *Goûter de bébé* à *L'Aile ou la Cuisse*, de *Riz amer* à *La Femme du boulanger*, des *Raisins de la colère* aux *Fraises sauvages*, de *La Princesse aux huîtres* à *Un goût de miel.* Pourquoi ne pas aller plus loin et ne pas analyser et classer chaque film *comme* nourriture ? Faisant passer du registre visuel ou visuel-et-auditif aux registres gustatif, mais aussi tactile et cénesthésique, les métaphores cinégastronomiques pourraient, qui sait ? donner plus d'aise pour rendre compte globalement d'un film – non seulement du film devant nous, mais *en nous*. Déjà, Paul Klee enjoignait à l'œil de « brouter le tableau ».

Que sera-ce, si l'on précise, en les nommant, la texture, la consistance, la saveur, l'arrière-goût, les métamorphoses prévisibles de l'herbe broutée ? Il y a ainsi, à l'évidence, des films qui nous restent sur l'estomac, d'autres qui fondent dans la bouche, des films sucrés, des films fades, des films épicés, des films-veloutés-d'asperge et des films-choucroutes, des films-tabliers-de-sapeur et des films-sorbets-à-la-framboise.

Et si tous les cinéastes ne sont pas comme Peter Kubelka, qui est *aussi* cuisinier, faisant son propre vin et passant presque autant de temps à mitonner ses plats que ses films expérimentaux (deux ans pour les soixante secondes de *Schwechater*, six ans pour les douze minutes et demie d'*Unsere Afrikareise*), il est permis de rêver à ce que pourraient être les spécialités de nos chefs cinéastes : pour Jean-Luc Godard, la salade composée (maïs, soja, fenouil, tomates, mozzarella, lardons, etc.) ; pour Fellini, les farandoles de grosses poulardes farcies ; pour Hitchcock, le colin froid mayonnaise ; pour Sam Peckinpah ou Brian De Palma, le canard au sang ; pour Sacha Guitry, la meringue glacée Chantilly, etc.

Une théorie du cru et du cuit – selon le degré de fiction – pourrait également être élaborée, qui distinguerait maintes variétés, du cru-cru (*Sleep* de Warhol) au cuit-cuit (*Viva la vie* de Lelouch), en passant par le film-tartare (*L'Homme à la caméra* : la viande crue tranchée par d'autres est assaisonnée et malaxée par le chef) ou le film-fondue-bourguignonne (*Portrait of Jason* de Shirley Clarke, *A Bigger Splash* de Jack Hazan avec David Hockney : la viande crue est jetée dans l'huile bouillante, pour voir).

Enfin, de véritables menus pourraient être composés, avec, au choix :

– des films-potages : *Le Grand Bleu* de Luc Besson ;

– des films-bouchées à la reine : *L'Impératrice rouge* de Josef von Sternberg ; *La Reine Christine* de Rouben Mamoulian ;

– des films-bouillabaisses : *Marius*, *Fanny*, *César* de Marcel Pagnol ;

– des films-cailles-rôties (attention aux petits os !) : *Frenzy* de sir Alfred Hitchcock ;

– des films-parilladas (aux quatre viandes) : *Intolerance* de David Wark Griffith ;

– des films-gibiers, avec leurs purées et confitures : *La Règle du jeu* de Jean Renoir ;

– des films-semifreddo : *Arsenic et vieilles dentelles* de Frank Capra ;

– des films-profiteroles : *Dr. Jerry & Mister Love* de Jerry Lewis ;

– des films-crêpes-Suzette (flambées au calva) : *La Passion de Jeanne d'Arc* de Dreyer, etc.

Les plaisirs de la vie

Pour finir, un exemple enfin non métaphorique : *7360 Sukiyaki* de Tony Conrad (1973). L'auteur en fait frire la pellicule devant les spectateurs. L'histoire ne dit pas si, poussant la littéralité jusqu'au bout, quelqu'un a jamais tâté de cette friture.

20

AVOIR UN CORPS (OU NON)

Le corps ? Je n'ai jamais parlé que de ça, tous ceux qui écrivent ne parlent que de ça : Homère, Sade, Henri Michaux, Paul Bourget, qui vous voulez. Et ne parlons pas du *Dr. Jekyll & Mister Hyde*, ni de *L'Homme invisible* – les plus belles histoires de corps du monde.

*

J'aime bien ma paupière gauche et mon mollet droit.

*

J'aime beaucoup plus, je le crains, le corps des autres que le mien.

*

Je traîne ce grand corps (1 m 85, 89 kg) comme on traîne un enfant monté en graine et à demi handicapé, qu'il faut nourrir, distraire, éduquer un peu, protéger des coups de soleil et des rhumes, à qui il faut faire traverser les rues et le cours du temps.

*

Quand je marche, ou cours, ou danse, ou nage, ou suis ivre (toutes façons d'être une presque pure conscience, un simple regard entouré d'une pénombre de matière inconsciente), ce corps est très supportable : il n'existe quasiment qu'à l'état cénesthésique, voire imaginaire. Alors, je suis volontariste, je me sens toutes les énergies, toutes les audaces, je pense que la jeunesse est un pacte qu'on peut re-signer à tout moment, je suis sartrien : « L'homme est libre, l'homme est liberté. » Léger, increvable, éternel.

Il suffit par contre que je me voie – dans un miroir, sur une photo, dans un film –, que je devienne un corps *vu*, pour que l'amère épouvante, la honte aux ongles noirs m'agrippe et m'accable, pour que je me sente bombardé, recouvert par des tonnes de gravats, victime de l'espace-temps, encombré d'un destin. Je suis alors sartrien d'une autre façon, au sens où, chez Sartre, le regard d'autrui paralyse le sujet et le change en objet. Lourd, usé, mortel.

*

Une façon de s'arranger est l'érotisme, manière de s'oublier au profit d'un autre corps. Deux possibilités, alors : l'autre rend la pareille ou bien c'est Narcisse – auquel cas on est à deux sur la même bête.

*

En vérité, je n'aime rien tant que les moments où le corps se dérobe, *où son existence n'est pas assurée*. Trois exemples.

Premier exemple. Une nuit, de retour à Paris après un voyage au Japon suivi sans le moindre répit d'un bref voyage à Montréal, à l'intersection donc de deux décalages horaires contradictoires, je me réveille brusquement en pleine obscurité dans un état d'angoisse inouï, pensant qu'il y a quelqu'un dans la chambre et incapable d'allumer l'électricité, car ne sachant plus dans quelle chambre je suis, ni même dans quel pays, *ni même qui je suis* !

Me retrouvant ainsi dans la situation même du « je » des *Méditations* cartésiennes quand il s'imagine le jouet du malin génie, ballotté et trompé, pareil à un homme qui se noie et ne pouvant plus s'agripper qu'à l'ultime bouée du *cogito*, c'est-à-dire à cette vérité minuscule mais sur laquelle tout, peu à peu, pourra se réédifier : « J'ai conscience d'être, donc je suis effectivement. On pourra me berner sur tout sauf sur cela. » Mais qui *suis*-je ? Une conscience, certes, mais un corps ? En lui-même, le cogito ne garantit rien de ce côté-là. Je pourrais être comme le malheureux héros du film de Dalton Trumbo, *Johnny Got His Gun*, réduit, après avoir sauté sur une mine, à une tête et un tronc. Mieux : je pourrais être (ô perspective délicieuse !) une pure illusion de corps. À la façon dont les amputés gardent longtemps au bout de leur moignon la conscience fantasmatique du membre perdu, être un super-moignon, un amputé total se rêvant corps !

Deuxième exemple. Cet étrange déclic, brusque et violent (comme le coup de la madeleine chez Proust, comme l'impression de déjà-vu, comme la vision panoramique des mourants à ce qu'on dit), qui me terrasse parfois en pleine rue et me fait me demander soudain : « Pourquoi suis-je dans ce corps-ci plutôt que dans cet autre qui passe ? » Ressentie jusqu'au fond des fibres et jusqu'au malaise, question physique autant que métaphysique, presque aussi écrasante que la grande question leibnizienne (« Pourquoi y a-t-il quelque chose plutôt que rien ? ») ou que l'impossibilité de penser ce qu'il y avait *avant* l'univers ou ce qu'il y a *au-delà* de lui.

Troisième exemple : l'invisibilité. Qui ferait cependant payer cher l'ubiquité miraculeuse qu'elle permet : car je pourrais, certes, tel Gygès avec son anneau ou tel le Diable boiteux, m'introduire partout et approcher tous les corps, mais, parvenu à un millimètre de la bouche ou du corps désiré, je ne pourrais ni l'embrasser ni le toucher. Réduit à l'impuissance terrible du voyeurisme : voir sans avoir.

Écrire relève de ces logiques de la désincarnation. Le livre comme corps de rechange. Par le texte, ô lecteur, j'entre invisiblement dans ta vie. Érotisme sans corps, combat de souffles, comme dans *Le Baphomet* de Pierre Klossowski.

21

ÉLOGE DE LA PROSTITUTION

Ce que je vais dire maintenant paraîtra de la provocation, à cause du titre. Ce n'en est pas. Encore une question de mot. Je mets celui-ci pour me faire immédiatement comprendre. Mais il fait problème, je le sais bien ; il appelle mainte précision. Je l'ai dit, les mots ne sont jamais tout à fait satisfaisants. Ils servent trop, à trop de monde. C'est aussi ce qui les rend sympathiques, conviviaux au sens des banquets et au sens des ordinateurs. Comme une pipe culottée, comme un vieux pull, comme une serviette-éponge offerte à toutes les mains. Vous voudriez une serviette rien que pour vous. Je peux vous en trouver une, mais elle sera en papier, elle se déchirera tout de suite, elle sera bien moins moelleuse.

« Prostitution » provoque des rires graveleux ou de l'indignation. Laissons cela. Ne gardons que l'idée – celle d'un corps qui s'offre au plaisir d'autrui non par espoir d'un plaisir symétrique (ou pas seulement) mais par intérêt, moyennant donc quelque rétribution convenue et immédiate ou quelque supputation d'avantages à plus long terme. Ainsi défini – et bien défini, je mets au défi quiconque d'en trouver un élément essentiel que cette suite de mots n'embrasse pas – et pour peu qu'on l'examine sans a priori, le concept de prostitution offre une première surprise : il est universel, beaucoup plus universel en tout cas que ce que suggère le mot sulfureux qui le désigne.

Car quoi ? Qu'est-ce qui distingue *in abstracto* la prostitution du mariage ? Dans le cas le plus répandu, « arrangé » ou non, en Occident et même ailleurs, ne s'agit-il pas aussi d'un échange entre deux êtres qui y trouvent chacun leur compte, l'un offrant (en principe) à intervalles réguliers son ventre et sa douceur de peau – et sa force de travail domestique – ; l'autre assurant en retour (et en principe aussi) sécurité matérielle et protection physique ? La principale – et même, au fond, la seule – différence, outre la possibilité pour ledit ventre d'être le réceptacle d'un ou plusieurs futurs petits malheureux, est que, quelquefois, ce pacte s'orne d'une valeur ajoutée, aussi miraculeuse que douce : l'amour. Encore l'honnêteté commande-t-elle d'observer que l'histoire ou la littérature ne sont pas avares d'exemples de relations vénales accompagnées, elles aussi, plus ou moins tôt, quelquefois instantanément, de cet aimable supplément. Qu'il suffise de nommer Charles Swann et Odette de Crécy pour la fiction et, dans la vie réelle, Auguste Comte et Caroline Massin, que l'inénarrable auteur d'une des premières biographies du fondateur de l'école positiviste décrit comme « une personne que ses occupations antérieures ne paraissaient point préparer à l'existence régulière et honnête[1] ».

Où l'on voit tous les préjugés d'une époque : car, au contraire, la prostitution, comme le mariage, est volontiers assise sur la régularité (certains ne disent-ils pas « ma régulière » ou « mon régulier » pour désigner leur partenaire favori ?) et quoi de plus honnête qu'un contrat ? Celui de la prostitution n'est (généralement) pas écrit, celui du mariage l'est – mais ils ont en commun de protéger de la sauvagerie des passions brutes, sans médiation, livrées au toboggan des caprices et aux rapports de force.

Pour peu qu'on prenne maintenant le mot dans un sens métaphorique, comme il peut arriver dans le feu d'une discussion vive, voire d'un pugilat, cette universalité s'impose davantage encore.

1. « Vie d'Auguste Comte » (s.d., probablement vers 1900) par Charles Le Verrier, in *Cours de philosophie positive*, tome I, Paris, Garnier, 1949. Ou encore, sur une autre longueur d'onde sexuelle, Christophe Donner et Nick, prostitué d'Amsterdam, comme il le raconte dans *Quand je suis devenu fou* (Fayard, 1997).

Simplement, la littéralité du rapport sexuel tarifé s'estompe en figure abstraite de la prestation de services rétribués, quels qu'ils soient, et de la vassalisation provisoire et consentie qu'ils impliquent. Et, alors, sans trop forcer, de la sténodactylo à l'assistant parlementaire, du mousse au garde du corps, du garçon de café à la gouvernante anglaise, du chauffeur de taxi à la présentatrice de télévision faisant des extras chez Prisunic, de la shampouineuse au critique littéraire préparant son élection à l'Académie, on découvre que – pourboire, salaire, article, enveloppe, droits d'auteur ou promotion – tout le monde se vend à tout le monde et s'en porte bien. Bref, tout est prostitution. Presque tout.

Surtout si l'on ajoute à la définition de tout à l'heure cette nuance de feintise intéressée – boniments, orgasmes mimés, flagornerie bon enfant (« Tu as de beaux yeux [ou toute autre sorte de beaux organes], tu sais ! ») – qui fait de la prostitution une des plus riches sources de fiction au monde.

Mais revenons au sens littéral, qui est tout de même le plus intéressant de l'affaire. Et abordons-le de façon moderne, je veux dire houellebecquienne. Dans notre contexte hyperlibéral d'« extension du domaine de la lutte » où, économiquement, « certains accumulent des fortunes considérables » tandis que « d'autres croupissent dans le chômage et la misère » et où, sexuellement, « certains ont une vie érotique variée et excitante » tandis que « d'autres sont réduits à la masturbation et à la solitude », la prostitution est la seule alternative au clonage (allusion à l'utopie finale des *Particules élémentaires*). À défaut – ou dans l'attente – d'une humanité *refaite* sur des bases nouvelles, plus justes et plus harmonieuses, seule, en effet, la prostitution évitera au plus grand nombre la frustration sinon le malheur. C'est d'ailleurs ce qu'a bien compris Tisserand, le héros souffrant d'*Extension du domaine de la lutte*. Mais voilà, comme il l'explique au narrateur : « J'ai de quoi me payer une pute par semaine. [...] Mais je sais que certains hommes peuvent avoir la même chose gratuitement, *et en plus avec de l'amour*. Je préfère essayer... » Alors, le pauvre, il essaie, il rate, il meurt.

Encore aurait-il pu réussir, avec un peu de chance (comme le narrateur lui-même, à la fin du film tiré du roman). Mais que dire des rabougris, des nabots, des timides, des malades, des vieillards – du gibier de « politiquement correct » que nous sommes ou serons tous un jour ou l'autre ? Pour eux, pour nous, il n'y a rien à perdre à ce qu'existent, privées, publiques ou mixtes, une ou des professions *de la caresse et de la tendresse*, avec statut, sécurité sociale et échelons de carrière.

Les beaux emplois jeunes que cela ferait en

ces temps de chômage ! Les beaux TIG (travaux d'intérêt général) ! Les quartiers difficiles deviendraient enfin quartiers « faciles », les banlieues *chaudes* le seraient autrement, d'une façon qui arrangerait tout le monde.

Vous croyez que je plaisante, que je fais mon Swift, que, de même que la *Modeste Proposition* du grand Jonathan mettait en contact, *en boucle*, la surpopulation et la famine en Irlande, et les résolvait *l'une par l'autre*, de même, je vous arrange le coup à Vénissieux ou dans la Seine-Saint-Denis en mettant en contact et en résolvant l'un par l'autre le chômage des jeunes Blacks, Blancs, Beurs et la frustration sexuelle de tant de Français alentour – et que *tout cela est de l'humour* ? Nenni, c'est du sérieux. L'élucubration délicieusement monstrueuse du doyen irlandais repose sur deux tabous intransgressables, du moins dans un monde raisonnablement civilisé, celui du meurtre et celui de l'anthropophagie, qui la rejettent inexorablement et à jamais dans le territoire de l'humour, c'est-à-dire de l'impossible. Tandis que rien ne s'oppose réellement aujourd'hui au recyclage ici suggéré d'une belle et robuste jeunesse, dansante, sportive et saine, qui n'a froid ni aux yeux ni au reste, en assistantes sociales du corps ou en infirmiers du sexe. Le tabou qui l'empêchait est en voie de disparition, car en voie de désacralisation.

Oui, là comme ailleurs, le sacré se retire, avec

ses gloires et ses malédictions. Peut-être ne fait-il que se déplacer ; peut-être reviendra-t-il. Mais, pour l'heure, la sexualité se laïcise, comme se sont laïcisés au cours des siècles la métaphysique, la science, la politique, l'enseignement, le mariage et les enterrements.

Et qu'on ne nous dise pas qu'il y a là – dans ce qui n'est pas même une utopie, tout juste une anticipation – pis-aller et condescendance. Quelle différence entre ce qu'on appelle une « prostituée » ou un « gigolo » et une garde-malade, un masseur, une manucure, un gynécologue ? Ils touchent tous au corps, si j'ose dire, et souvent aux mêmes endroits. Ils en tirent mêmement un revenu. Simplement, ils ne lui rendent pas *tout à fait* les mêmes services, ne lui apportent pas *tout à fait* les mêmes plaisirs. Encore que. De l'infirmière qui passe un gant de toilette dans l'entrecuisse d'un blessé, à la fille de joie, du médecin qui fait un toucher rectal, au prostitué actif, il n'y a pas, comme dirait Bergson, une différence de nature mais une différence de degré. (Cher Bergson !)

De toute façon, pour revenir un instant à nos banlieues tièdes, hormis la minorité de Beurettes travailleuses ou d'Antillais sérieux qui entreront rue d'Ulm ou deviendront des gloires du barreau, ce sera *cela* ou les métiers du sport et de la sécurité – joueurs de foot, coureuses à pied, entraîneurs, éducateurs, policiers, convoyeurs de fonds, videurs de discothèques, gardes du corps – qui sont également des métiers physiques : les uns ne méritent ni plus ni moins d'opprobre que les autres. Les historiens et les sociologues vous expliqueront d'ailleurs que la considération qui s'attache à une activité sociale donnée change avec les pays et les époques. Dans un monde antique qui connaissait mainte forme de prostitution sacrée, donc admise et sanctifiée, le métier de boucher était par exemple en certains endroits tenu pour infâme. Et voyez le métier de professeur, l'un des plus prestigieux vers 1950 et, cinquante ans plus tard, un *sale boulot* que presque personne ne veut plus faire.

Le temps viendra donc bientôt où le ton apocalyptique avec lequel on a longtemps parlé de la prostitution (en partie pour des raisons de santé publique ou d'avilissement qui se sont grandement modifiées) paraîtra aussi comique que celui avec lequel on parlait de l'onanisme dans les traités de psychopathologie sexuelle d'il y a un siècle ou de la marijuana dans les discours politiques conservateurs d'hier encore. Et où, au contraire, on trouvera légitime que soient offerts, concurremment ou complémentairement à ceux que permettent le mariage, le concubinat ou le Pacs, des services sexuels *réels et globaux* – et non plus seulement, comme déjà, téléphoniques ou partiels – pour tous les âges, tous les sexes, toutes les préférences sexuelles, dès lors qu'ils sont dispensés dans des conditions de dignité, de sécurité, d'hygiène et surtout de liberté (qui excluent *évidemment* le proxénétisme) comparables à celles de toute autre profession. Les tenants du politiquement correct ou les impératifs commerciaux imposeront peut-être un changement de nom, mais ceci au moins sera clair : celui ou celle qu'on appelle provisoirement encore « prostitué(e) » sera aux défavorisés sexuels ce que le pâtissier ou le traiteur sont à ceux qui ne peuvent pas faire la cuisine, ou ce que l'écrivain public est à ceux qui ne savent pas écrire. Métiers qui ont tous leurs hauts, leurs bas ; qu'on peut exercer bien ou mal, avec art ou foireusement, dans l'enthousiasme ou en soupirant ; mais métiers.

Le temps viendra peut-être même où – tout comme le droit au travail ou le droit aux soins médicaux – le droit à la sexualité sera inscrit dans la Constitution. Une sexualité non pas laïque, gratuite et obligatoire, mais laïque, payante et facultative. (En effet, ce n'est pas *Le Meilleur des mondes* : la possibilité d'obtenir des rapports sexuels sans drame, sans difficulté, sans tralala, ne garantit rien, ni le bonheur, ni même le rassasiement ; sa simple existence permanente apaise, cependant, et désangoisse ; après quoi, rien n'empêche d'être chaste et heureux.)

On dira que tout cela existe déjà, en tapinois, sous d'autres noms. Ici ou là, en ces parages de l'an 2000, certains sex-shops ou salons de massages proposent plus que des ersatz, les bordels continuent ou rouvrent, y compris en Europe : en Allemagne, par exemple, sous l'étiquette d'*« eros centers »*, ou aux Pays-Bas. L'Union européenne, qu'on le veuille ou non, obligera bientôt à unifier sur ce point les législations, et la question se reposera donc en France, dans d'autres termes assurément qu'au temps de Marthe Richard. On dira que le modèle allemand n'est pas la panacée, que c'est toujours une galère, avec de nouveaux inconvénients ; qu'une prostitution *tranquille*, que des boutiques de sexualité aussi normales et faciles d'accès que des pâtisseries ou des salons de coiffure ne sont pas pour demain. Utopie, donc, quand même. Bon. Ce n'est pas une raison pour ne pas s'y mettre.

Le premier pas, tout de même, c'est d'espérer, que dis-je ? d'*exiger* qu'on organise enfin cette ou ces profession(s) comme n'importe quelle autre. Un baccalauréat de prostitution ? Pourquoi pas ? Un module de baisers profonds, une licence de caresses, une maîtrise de pénétration douce ? Mais oui ! Un DEA de relations buccales ? Parfaitement. Avec options et travaux pratiques ? Cela va sans dire. Et, en fin de cursus, des soutenances de thèse ? Avec félicitations du jury.

Lorsque tout cela ira de soi, on pourra même envisager des abonnements, des prix plafonnés, des sections syndicales, un conseil de l'ordre, des stages, des promotions, des compétitions, des labels. Alors, pour que la laïcisation de la société soit vraiment complète, il ne restera plus qu'à organiser deux professions encore : celle de voyante et celle de psychanalyste. À moins que, dans ce nouveau contexte, elles n'aient plus beaucoup d'utilité.

22

AUTRES PLAISIRS

Sans développer pour l'instant ce qui pourrait être l'objet d'un deuxième tome, nous citerons : aimer (sous-sections : quelqu'un, un animal, l'humanité entière, autres) / faire l'amour (sous-sections : z***er, m***ir (ou l'inverse), c***er (ou l'inverse), s***-n***, p*** j***, t***, a***, g***-frrrrttttt, autres ; à deux, à trois, à plus ; seul) / faire du pied à quelqu'un sous une table (ou l'inverse) / suivre quelqu'un dans la rue avec ou sans grand espoir / faire des théories (exemple, théorie des chiens et des chats : l'humanité est divisée en humains-chiens, fidèles, affectueux et pataudss, et en humains-chats, altiers, capricieux, indomesticables) / lire (à voix haute, tout bas) / dessiner / fabriquer un objet ou une installation artistique / écrire / faire la cuisine / faire le ménage / parler / chanter (sous-sections : seul, avec d'autres) / se taire / écouter (de la musique, de l'opéra, les bruits de la nature [sous-sections : bruit du vent, mer en furie, chants d'oiseau, chouettes ou hiboux, cigales ou criquets, coyotes, aboiements de chien dans la campagne, autres]) / téléphoner /filmer /être filmé / être abonné à un journal ou à un magazine / bouder / marcher / courir / nager / faire du vélo / se perdre (sous-sections : en forêt, en montagne, autres cas) / cracher / se moucher / uriner ou plus / vomir / être seul (sous-sections : seul seul ; seul dans une foule, seul dans la vie, etc.) / être ensemble (sous-sections : en couple, à trois, en famille, en bande, dans une manifestation de rue, dans une foule en liesse, dans une débandade générale) / manger (seul) / banqueter (à deux, à plusieurs, à beaucoup) / boire / jeûner / danser (sous-sections : seul, à deux, en boîte, autres cas) / voyager (à pied, à cheval, en bateau, en avion, autres) / visiter (un château, une usine, un pays, autres) / rendre visite à quelqu'un (à un grand homme, à une ancienne amie, autres) / donner rendez-vous à quelqu'un de cher à la gare de Limoges sans précision de jour ni d'heure / retrouver sa carte bleue qu'on croyait avoir perdue au terme d'une nuit très arrosée / être / ne pas être / dormir / rêver peut-être...

AJOUTS PERSONNELS DU LECTEUR :

....

....

....

....

....

....

23

ALLER À UN ENTERREMENT

On choisira de préférence l'enterrement d'autrui – parent, ami ou vague connaissance. Ou même d'un inconnu complet. L'auteur de ces lignes a, par exemple et par désœuvrement, suivi le 28 septembre 1990 toute une messe d'enterrement à la collégiale de Brive-la-Gaillarde, puis signé le registre funèbre : longtemps la famille éplorée a dû se demander qui était ce mystérieux cousin au canotier de travers (je me vante : je ne portais pas de canotier ; tout au plus des socquettes rouges) dont personne n'avait jamais entendu parler.

Oui, d'autrui, car c'est une des rares circonstances où l'on est volontiers altruiste et prêt sans effort à céder sa place. Pourvu que ça dure ! oserai-je dire lâchement. Il faut pourtant se préparer au pire. Je le fais, à ma façon, par des exercices de simulation au lit, relâchant subitement pendant quelques secondes tous muscles et nerfs en état de m'obéir (ce qui exclut le cœur, la rate et quelques menus organes de la génération), ou en me posant *in petto* des questions de haute casuistique (« préféreriez-vous mourir de froid ou de chaud ? finir sourd ou aveugle ? » – mon choix pour l'heure étant : de froid et aveugle, mais je crains qu'on ne me demande pas mon avis ; en tout cas, tout, de grâce, sauf des tortures à la roulette de dentiste ou la lecture à haute voix d'une revue de sémiotique !).

À l'instar de Georges Fourest, splendide auteur d'une *Épître falote et testamentaire pour régler l'ordre et la marche de [s]es funérailles*,

> les croque-morts seront vêtus de laticlaves
> jaune serin, coiffés d'un immense kolbach
> et trois mille zeibecks pris entre mes esclaves
> suivront le char jouant des polkas d'Offenbach

voici comment j'aimerais qu'on m'enterre.

D'abord, je veux des fleurs. Des montagnes de fleurs, de toutes couleurs et de toutes tailles, en couronnes et en coussins, en gerbes ou en guirlandes, avec des préférences pour le lilas blanc, les hortensias, les fuchsias, les pois de senteur, les clématites. Du blanc, du mauve. Et du bleu, des fleurs bleues, une symphonie de bleu, même du bleu vert très criard, cela tranche. Oui, du bleu tranchant sur tout ce blanc, tout ce rose, tout ce mauve, tout ce vert. Et des lianes, s'il le faut, entre les colonnes gothiques ; des tonnelles, des gloriettes. Peut-être même, au moment de l'arrivée du cercueil, un lâcher de pétales – que dis-je ? une bataille de fleurs !

Puis, au moment de la bénédiction du cercueil, de l'encens, des nuées d'encens : qu'on en tousse ! qu'on en suffoque ! que la cathédrale entière ne soit plus qu'un nuage immense et gris à travers lequel les vivants n'auront pas l'air plus réels que le mort lui-même. (Oui, j'ai bien dit « cathédrale ». Tant qu'à faire, n'est-ce pas ? Et même Notre-Dame de Paris. Ou, à défaut, Saint-Germain-des-Prés. Comme Duras, tant pis – « tant pis » à cause du mimétisme, pas de Duras : on l'aimait bien, Duras, il ne faut pas croire !)

Et de la musique ! Avec de vrais chanteurs et un orchestre. Des *lieder* simples et émouvants, des chœurs, un beau Requiem. Lequel ? Celui de Charpentier ? celui de Mozart ? celui de Berlioz ? celui de Brahms ? celui de Verdi ? Peut-être tout simplement celui de Fauré, que j'aime infiniment, mais à condition que la volonté du compositeur soit respectée et que ce soit bien un enfant qui chante le *Pie Jesu*. En tout cas, de la grande musique *reconnue*, ce n'est pas le moment des concerts d'avant-garde, encore moins celui des petites chansonnettes prétendument aimées par le mort et que certaines familles – ou certains mourants, avant leur dernier soupir – imposent lâchement à l'assistance consternée. Michel de Certeau montra l'exemple, paraît-il, en demandant qu'on fasse entendre à son enterrement dans la chapelle des jésuites de la rue de Sèvres la chanson de Piaf « Non, rien de rien, je ne regrette rien », tandis que les proches du Premier ministre Bérégovoy infligeaient quelques années plus tard à la France entière « La Chanson de Lara » du film *Le Docteur Jivago*. À quand « La Danse des canards » ou « Tomber la chemise » ?

De la musique, de l'encens, des fleurs. Des pleurs ? Pas nécessaire (mais enfin, si l'on ne peut s'en empêcher, reniflements discrets, SVP). Les pleureuses devraient être réservées aux mariages.

Des discours ? des éloges ? des lectures ? Oui, mais sobres et brefs. Avec des micros qui marchent, contrairement à ce qui se passe dans l'horrible crématorium du Père-Lachaise à Paris où on a toujours l'impression d'être dans un mauvais film dont on a perdu la bande-son. Avec de vrais diseurs de textes (par exemple, Michel Bouquet, Pierre Arditi, Édith Scob, Daniel Mesguish). Pas trop futiles, pas trop tire-bouchonnants, les textes, s'il vous plaît. Pas trop pleurnichards non plus. Un peu d'éloquence ne messiérait pas. Hélas, Malraux est mort, il ne nous reste que des *gens de médias* !

Un rituel, en tout cas, par pitié ! Surtout pas de ces terrifiantes non-cérémonies faites d'ennui et de crampes qui accompagnent les « derniers moments » de ceux qui ont la sinistre idée de se faire incinérer. Un rituel, même celui d'une religion précise – en l'occurrence celle de mes ancêtres, celle qui fut la mienne, avec ferveur, jusqu'à la crise religieuse de mes quinze ans : la catholique. Je ne le suis plus, catholique ? Non, et bon nombre de ceux qui me feront l'amitié de m'entourer en ces joyeuses circonstances non plus. Mais il suffit qu'il y en ait quelques-uns dans l'assistance, assez pour que le prêtre ne se sente pas trop seul, assez pour assurer les répons, dire les *Pater*, les *Agnus Dei* et les *amen* de circonstance. Les autres sauront se tenir. On n'en est plus aux crispations propres à ces époques de lutte entre une Église hégémonique, voire écrasante, et les tenants d'une légitime, d'une indispensable laïcité. Plus besoin, comme Roger Martin du Gard à l'enterrement de Gide ou comme Michel Charasse à celui de Mitterrand, de tourner le dos au pasteur ou de bouder à la porte de l'église. On peut sans trop de risques réhabiliter ces rituels désuets, leur donner un deuxième degré, une pure valeur symbolique, et, cela étant posé, les respecter dans le moindre détail. Bref, laissons l'Église faire à sa main ce qu'elle *sait très bien faire* depuis fort longtemps. Oui, laissons faire les professionnels !

Des innovations ? Une seule, peut-être, timidement suggérée : pour qu'on ait moins de mal à deviner, derrière le bois verni et sous le catafalque, le corps qui va disparaître, en particulier la place de la tête, faire un cercueil transparent, de verre ou de plexiglas, de façon que le mort soit *un peu plus présent*. Après tout, c'est sa fête !

Bref, un enterrement peut être un grand moment d'art et d'amour. C'est pourquoi, à l'égal des autres grands rituels où quelque chose de la nature humaine et de l'état de la société se donne à voir – procès d'assises, concours du conservatoire, séance des questions à l'Assemblée nationale, corridas, soutenances de thèse –, j'adore les enterrements, surtout celui de mes amis. Quant au mien, ce que je peux en dire de plus sûr c'est que ce sera vraisemblablement le dernier auquel je participerai.

24

RESSUSCITER

Ce plaisir-là, c'est le plaisir suprême. Mais c'est une autre paire de manches ! Osiris, Mithra ou le Christ, célèbres ressuscités, ne sont pas ici des exemples à suivre. Car ils ne ressuscitent qu'une fois et pour ainsi dire par obligation professionnelle de Sauveurs. Ce qu'il faudrait, c'est pouvoir ressusciter, puis remourir, puis ressusciter *ad libitum*, autant de fois qu'on voudrait, pour le plaisir.

Comment faire ? La cryogénisation est aléatoire, bonne pour Walt Disney. Le clonage ? On vous refait *en bis* mais sans mémoire, avec une conscience vierge, ce n'est pas vous. Il y a une solution, lecteur, c'est la lecture ! Chaque fois qu'on lit, on ressuscite un tant soit peu l'auteur, surtout s'il a un ton, une voix reconnaissable et qu'on a envie de lui parler, de le féliciter ou de le foudroyer d'objections. Chaque ligne de mots, chaque patte de fourmi qu'on parcourt du regard, c'est une petite gorgée de sang à une ombre exsangue, une petite eucharistie de papier, une micro-sortie du tombeau. La vie ainsi rendue est une vie réduite à peu de chose, mentale, virtuelle quasiment, mais c'est déjà ça.

Chaque fois qu'un lecteur lira cette ligne où je prends congé de lui, il me ressuscitera un peu. Merci.

TABLE DES MATIÈRES

DU MÊME AUTEUR

Dandys de l'an 2000 [sous le pseudonyme de « Collectif Givre »], Hallier, 1977

M & R, roman, Robert Laffont, 1981 ; 2e éd. revue et augmentée, Éd. du Rocher, 1999

Ouverture des veines et autres distractions, Robert Laffont, 1982

Le Retour de l'espérance, le Temps qu'il fait, 1987

Épigrammes *de Martial* (présentation, choix et traduction), la Différence, 1989

Les Deux Veuves, récit, la Différence, 1990

Tombeau pour la littérature, essais, la Différence, 1991

La Colonisation douce, carnets, Éd. du Rocher, 1991 ; 2e éd. très augmentée Arléa-Poche, 1998

Les Derniers Jours du monde, roman, Robert Laffont, 1991

Les Trente-Six Photos que je croyais avoir prises à Séville, récit, Maurice Nadeau, 1993

Aimables quoique fermes propositions pour une politique modeste, Éditions du Rocher, 1993

Derniers Voyages en France, notes et intermèdes, Champ Vallon, 1994

Les Martagons, roman, Gallimard, coll. « l'Infini », prix Roger-Nimier 1995

L'Arc-en-ciel des humours – Jarry, Dada, Vian, etc., essai, Hatier, 1996

Je n'ai rien vu à Kyoto – Notes japonaises (1983-1996), Éd. du Rocher, 1997

Amour noir, roman, Gallimard, coll. « l'Infini », prix Femina 1997 (Folio n° 3262, 1999)

Cadeaux de Noël, historiettes, maximes, dessins et collages, Zulma, 1998, Grand Prix de l'humour noir 1999

Immoralités suivi d'un *Dictionnaire de l'amour*, Gallimard, coll. « l'Infini », 1999

Écrit en 1968, Joca Seria, 1999

ÉTUDES PLUS OU MOINS SÇAVANTES :

Les Trois Rimbaud, Éditions de Minuit, 1986

Lénine dada, Robert Laffont, 1989

Sémiologie du parapluie et autres textes, la Différence, 1990

SUR LE CINÉMA :

Essais sur le cinéma québécois, Montréal, Éditions du Jour, 1970

Le Cinéma, autrement, 1977 ; 2e édition : Éditions du Cerf, 1987

Éloge du cinéma expérimental, Centre Pompidou, 1979 ; 2e éd. très augmentée : Paris Expérimental, 1999

Trente ans de cinéma expérimental en France (1950-1980), A.R.C.E.F., 1982

Entretiens avec Marguerite Duras (1983), imprimés et vidéographiés, Paris, ministère des Relations extérieures, Bureau d'animation culturelle, 1984

Une renaissance du cinéma – Le Cinéma « underground » américain, Méridiens-Klincksieck, 1985

Ciné-Journal (1959-1971) de Jonas Mekas (préface et traduction), Paris Expérimental, 1992

Ce que le cinéma nous donne à désirer – Une nuit avec *La Notte*, Liège, Yellow Now, 1995

Collection dirigée par Lidia Breda

Déjà parus

Marc Augé, *Les Formes de l'oubli*
Bruce Benderson, *Sexe et solitude*
Michel Cassé, *Théories du ciel*
Catherine Chalier, *De l'intranquillité de l'âme*
Gabriel Matzneff, *De la rupture*
Jackie Pigeaud, *Poésie du corps*
Pierre Sansot, *Du bon usage de la lenteur*
Fernando Savater, *Pour l'éducation*
Chantal Thomas, *Comment supporter sa liberté*

Cet ouvrage a été imprimé par la
SOCIÉTÉ NOUVELLE FIRMIN-DIDOT
Mesnil-sur-l'Estrée
pour le compte des Éditions Payot & Rivages
en mars 2000

Imprimé en France
Dépôt légal : janvier 2000
N° d'impression : 50633